JN122917

聖なる儀式

タヒル・ハムット・イズギル

ムカイダイス＋河合　眞 編訳

鉱脈社

〔著者まえがき〕

日本の読者へ

ウイグルの詩が日本語に訳されることは大変喜ばしいことである。二〇一五年に邦訳された詩集『ウイグル新鋭詩人 選詩集』の出版は、人間の豊かな経験を語りながらその複雑さ、無限さと不透明さをウイグル語の文脈において表現することに独自の道を開いたことにより、ウイグル現代文明において一つの主な成果としてあげるべき現象でありながらも、外国語にまだ紹介されていなかった。このことからも邦訳の『ウイグル新鋭詩人 選詩集』の意義を見出すことができるのであろう。

日本国は多くのウイグル人にとって正反対のイメージをもつ国である。中国では第二次大戦以降、一貫して日本人を「鬼」と呼ぶ反日教育が今まで行われてきた。その故、ウイグルでは「日本人レイプ魔」という中国に植えられた言葉がたくさんのウイグル人の脳裏から離れないのが事実である。中国語の「日本人侵略者」がなぜウイグル語で「日本人レイプ魔」に訳されたかの理由は定かでないが、「レイプ魔」という言葉が「侵略者」という言葉よりもイスラーム系のウイグル人にさらなる恐怖と憎しみを持たせることを目論んだのだろう。

ウイグルの歴史において日本との関係は多くは語られていない。一九三三年に設立された「東トルキスタンイスラーム共和国」は一九三四年に挫折を迎えるが、その首相であったホージャ・ニヤーズ・アージが後に「新疆省」の副主席の座につき、一九三七年に「日本帝国主義と口裏を合わせた」との陰謀で銃殺された。関連づけてウイグル人に対する大虐殺が行われ三万人以上のウイグルの知識人が囚われ、多くは殺されてしまっている。この大虐殺をソ連と共謀して実行した盛世才は、日本の士官学校を卒業している軍閥に属する一員でもあった。

その極めて危険な状況で海外に逃れなければならなかった共和国将軍のマフムード・ムヒーティなどのウイグルの将軍や役人たちが、日本に行って東トルキスタンの独立のための援助を要請したが、戦時環境激変の故に結果が得られなかった。

一九八〇年からウイグルでも日本の『君よ　憤怒の河を渉れ』『幸福の黄色いハンカチ』などの映画、『燃えろ　アタック』『赤い疑惑』『姿三四郎』『犬笛』『一休さん』などのテレビドラマを見て、「レイプ魔」ではなく人間愛溢れる感情豊かな日本人を見たウイグル人はその文化に驚き始めた。日本産電化製品の質の高さとこの頃から出会えるようになったこともあり、日本に対する認識が徐々に変わり始めた。

私は一九九〇年代から中国語に翻訳された日本の文学作品を読み始めた。川端康成『雪国』の純愛に、三島由紀夫『金閣寺』の魅惑的な美、村上春樹『ノルウェイの森』の切なさと悲しみなどを読み、深く感動を覚えた。私自身を本の中の主人公の立場においてみたりと様々に想像をして興奮もしていた。

今はムカイダイス氏と河合先生により、ウイグルの詩が日本に紹介され始めた。

このたびは、私の詩集がこのお二人の何年間かの努力の末、日本の読者に届けられることになった。これは私にとって大変光栄なことである。実際、今のウイグル人は想像を絶する弾圧を受けながら、その文化を守るために戦っている。この詩集が出版を迎えることは重要な意義を持つ。

私は小さい時からウイグル民間にある面白い物語、伝説、神話、ダスタンなどを聞いて育った。この経験は後に私が物語を書き、詩を書く上で常に私の想像を刺激してくれている。この経験の故、私の全ての詩の裏に物語が、そして一つの詩の裏にいくつかの物語が隠れていると言っても良いだろう。これらの物語の一方が私の個人の経験と結びついていたとすれば、もう一方はウイグル人共同体の魂に結びついている。私は日本の読者がこのことを詩をとおして感じてほしいと、感じてくれると信じている。

私はカシュガルで生まれ、北京で大学に通いウルムチで働いていた。カシュガルで牢獄に入れられた。ウルムチで流浪し、今はワシントンで暮らしている。私の詩にはこのような私の流浪の人生の経験と魂が語られている。

詩に関しては読者に多くは語らないつもりでいる。日本の読者に敬意を表しつつ。

二〇二〇年二月二十八日　アメリカ・ワシントン

タヒル・ハムット・イズギル

［編訳者まえがき］

タヒルの詩・ウイグルの大地の香り

二〇一九年は、私の人生において生と死について考えさせるいくつかの出来事があった不思議な年でもあった。最愛の人々の何名かが次から次に天国に旅だった。私は、自分なりに「亡くなること」と「生きること」について考えた。そして目に見えないものとともに生きる決心をした。つまり、私は、私より先に天国に旅立った者の魂とともに、その者の意志を背負いながら生き抜く決心をした。心が穏やかになった瞬間でもあった。

このような重い文章で「まえがき」を始めることには訳がある。

二〇一七年九月に左右社から出版された『ウイグル新鋭詩人 選詩集』には、ウイグルで暮らす十一名の若手ウイグルの現代詩人の詩の邦訳を載せた。二〇一七年七月まで、私は彼らと連絡を取りあっていた。しかし、八月からは状況が一変した。国外にいるウイグル人の殆どが、今のウイグルで暮らす家族や友人と連絡を取る手段を失ってしまった。この状況は今でも変わっていない。

百万を超えるウイグル人が中国政府により「強制収容所」に送られた。多くのウイグル人が帰らぬ人となった。残りは行方不明であるという現実が、徐々に世の中に浮かび上がって来た。中国政府はこの「強制収容所」を「再教育センター」

や「職業訓練中心」などと名付けている。
『ウイグル新鋭詩人 選詩集』の十一名の運命も、当然ながらこの無情な渦巻きに飲み込まれた。その中の一人、最も才能豊かな詩人のホージャ・ムハッマドが、二〇一八年七月十一日に東トルキスタンのホタン市で亡くなったという知らせがまず届いた。シャヒップ・アブドサラム・ヌルベグとグリニサ・イミン・ギュルハン、レヒム・ヤスンが「強制収容所」にいるとの知らせと、ペルハット・トルソンが十三年の刑期を言い渡され、刑務所にいるとの知らせを、アメリカに亡命した、今は「ラジオ・フリーアジア」の記者として働く、この本の著者のタヒル・ハムットに聞いた。

ペルハット・トルソンは、タヒルの中央民族大学時代からの同級生であり、長年の親友でもあった。中国政府は、ウイグルの一流の詩人たちである彼らを所謂「再教育センター」に入れて何を教育し、これからどんな職業につけるつもりだろうか。

私の親友であるウイグルを代表する女流詩人のグリニサ・イミン・ギュルハンが言った言葉を一生忘れない。

「書き続けるべきだ。ウイグル語で描き続けるべきだ。書き続ければ、ウイグル語とウイグル文学が生き続ける」。

彼女が「強制収容所」に連れて行かれた現実を変えられない自分が悲しい。

「強制収容所」から出てくる彼らに顔を合わせられるように頑張ってみたい一心で、タヒル・ハムットの詩を日本語に訳し続けた。

タヒル・ハムットは、ウイグルの母なる大地の力強さと優しさの香りが同時に漂う詩を書く詩人である。この詩集で、日本の方々にタヒル・ハムットの「ウルムチ」「カシュガルに還る」「夏は一つの陰謀」「聖なる儀式」などの名詩の数々を届けられることが嬉しい。

詩は私たちの身近にある聖なる贈り物であると考えている。タヒル・ハムットの詩が、ウイグルの文化・文学とともに、悲しくも信じがたい現実を届ける、考えさせる機会を与えることを願っている。

文学は世の中を美しくする力を秘めていると信じる一人の人間として、皆様にウイグル文学の現状に理解と同情だけでは終わらない愛を示してくれることを、ウイグル文学を守る行動を起こしてくれることを、切実に願っている。今行動を起こせば、まだ間に合うと信じている。

ウイグル人は、自らの悲しみや喜びなどを古から詩に託す風習を持っているゆえ、私の拙い詩をまえがきの一部として載せることをお許し願いたい。

鏡

私は
止まらぬ涙で詩を紡ごう
そして
祖国の蒼色で
私の詩を染めよう

自らの詩で語ろう
君の物語を
そして　祈ろう
ある日
正義と愛が
大地から闇を追い払うことを

この身が滅びても
魂は　君の墓の畔に立つだろう
そして

私の詩が血となり
なんじが再び降臨する日は　必ずくる

最後になるが、詩集の出版を引き受けてくださった「鉱脈社」の川口道子様と、詩の校閲を引き受けてくださった同社顧問でH氏賞受賞者の詩人・杉谷昭人先生に、心から厚く御礼を申し上げる。ウイグル文学を愛し、守り続けている河合眞先生と河合直美先生に、心から厚く御礼を申し上げる。河合直美先生との共訳『ウイグル民話集』の出版も近く「鉱脈社」から出版されることになり、楽しみと感謝の日々である。

二〇二〇年三月

ムカイダイス

目次

聖なる儀式

93年・エイド前夜

私にはアッラーから授けられた畑がある
毎年のエイド前夜　私は畑に行き
未来がなくても芽生える草を
語るに値しない雀たちの命を
少しずつ長くなる己の影を観察する
二日目には
身体の産毛が増えているのを感じる
私に似合わない指輪
古から伝えられた退屈なある歌
私の手元で繋がる

私はこのように熟する
さらに残酷で　さらに無関心になる
時には
向日葵の種を剥きながら歩く子供たちに会い
無花果の白い樹汁か
明日の晴れ着を考える
君に言うかも知れない
母は無神論者ではないと

一九九三年六月　カシュガル

聖なる儀式

支配されている一条の光が溶けていくにつれて
個々の容貌が現われてくる
風が淫らに両手を広げて
陽光を巻き込んでいく
私は黄昏を舐めまわし穴を開ける
通りの灯りは時間の一番上にいる
蜘蛛の巣は宙に垂れ下がり
私は雷と握手する
歩行者天国を行く
暗闇から暗闇へ

口許に鳥の羽を咥えながら
樹木の枝に吊された乳房が微笑む
私の足が
世紀を震わせる
　己を震わせる
　　街を震わせる
頭蓋骨は進化を遂げ原型を失う
服は哀しみの声を上げる
これは
　　真夏
　　　自由
　　　　それとも忘却か
多くの布切れが地上で
輝く
　引き摺られる

息をする
無数の霞んだ光の束が地上に
生える
集まる
沈黙に浸る
私は一杯の水に向かって泡を請う
私は一塊のごみに向かってすみれ色を請う
蒸し暑い街路
永遠に見知らぬままの道
穏やかな発掘
一回の廻り舞台
夜の声は己が吐き出した輪郭を呑む
一滴の清らかな水が蛇の心臓を呑みこんだかのように
鉄枠で塞がれた窓が目の前で膨らむ
真っ黒なガラスは喘ぎと祈りに耳を傾ける

文字は死ぬ
画像はバラバラになる
啜り泣きと叫びで充満した頭が
厳かに地面に落ちる
手は汗ばむ
解放
流亡
死体の匂いが夜空を彷徨う
蜘蛛の巣は漂流する
一面の白色は
仮面
記憶
愛に似ている
周りを見渡す
弱った身体を抱きしめたくなる

一枚の紙が顔の上で広がる
突然あばら骨が一本欠けていることを気づく
私は無限の回数の聖なる儀式を行うべき
小鳥が集まる場所に遺言を埋めて
虚無と夢の中で火打石を使って火を熾す
無を祝宴に変える
言葉を地面に敷いて
暗黒で傷口を塞いで
欲望を叶える
これが

稲妻
定め
滅亡

方向感覚を失う
稲妻と握手する

見えることを止めたかのように
捨てられた感覚の中にいるかのように
樹木は街中から消える
私は軽率に近づく
力比べを拒否する
夜の声が世に生きる惨めな人々を凌駕する

一九九三年六月　ウルムチ

海

幽かに見える一塊の石の幻
汗ばむ空気が漂流する周り
哀しみが漂う腐った貝殻
潮が満ちる午後の四時
魚が匂う私の心
雲が横切る地平線の彼方で
悲しみと虚偽に満ちた人々が
光と共に小さくなっていく
遥か遠くの
妖艶さが君に似ている雲は

足を小石で怪我した小さな生き物
足を拡げて立つ赤いワンピースの娘
傾いた太陽を見つめながら
私は砂浜を感じない
海よ　君は私の物ではない
君も孤独を怖がるのだろうか

一九九三年七月　北戴河

境界線

私たち二人を別れさせることはできない
暴力を用いることも許されず
揃って敗北することになりそう
私には
北京は石灰から成る代物
寺の裏庭に繋がる
石の壁の上に
境界線はある
中央アジアの人々の裸の神経と同じように
どこまでも冷静で

それについて語り出すと
神経の美しい形が
思い出される
エジプト大王の臣下よ
君の可笑しな発音は
多くの可愛いものを
思い出させる

一九九三年九月　北京

距離

蟬の鳴くままのただ中に私たちはいる
いびつな鏡面は
病棟までの距離
看護婦の顔立ち
風刺画のように坐り込む私たちを歪めて写し出している

冷たい水と酒を交互に呑みながら
窓を開け　半裸の状態で
生きること　民族　女について
毒々しい話しを続ける

蟬の声が時に部屋の中に乱入し
話の肝心な部分を粉砕する

彼らは言い訳がましく
私を独り置き去りにして出て行く
空のボトルが作りだす
人生のロマンあふれる景色が
私を蒸し風呂の中にいるように感じさせる
ドアに鍵をかける
仕事に行く

宙返りができたら
自殺ができたら

一九九三年七月　北京

同罪

胡桃の木の下で
雌のカササギが毛繕いをする
銅が錆びていくのを感じながら
私は芝の上を歩き
流浪の仇を見つけようとしている

私たちは若く健やかである
約束を守り
寄せては返す波のように
樹木の苦痛の胎内に回帰する

紛れもない死の故郷に帰ることを望んでいる

樹皮はすっかり剝がれ落ち
胡桃の木は冬眠を迎えている
私は本来の場所に戻る
カササギを脅かすつもりはない
光で作られた帽子を手にとる
流浪というのは
己の邪悪を露わにすることである

私は本来の場所に戻る
罪を犯した子供たちは辺鄙なところに石を投げ
容赦なく攻撃を加えている
私は一枚の萌え出る青葉を握りつぶす
複雑で変幻自在な液体を作る

一本の黒い線が軽やかな冗談に変わる
私は己の湧き出る幻想と
雌のカササギの翼を洗う
仇討というのは
一瞬の忍耐である

私たちは若い
己が感じているよりもずっとずっと若い

一九九四年十月　北京

石の鏡

君が石の鏡を覗き込んでいるのを見かけた
その時は水浸しになっていた君の思想が私に近かった
今日の君は冷たい風の苦い味を知っている
私と同じ鬱の状態の君　悲しい姿の君
どうすればいい　愛おしい人よ
君の目が見たことがない祖国を想像しようがない
君は古に　それとも夢の中に石の鏡を見つけたのか
すべての心が砂であった　風であった時か
真っ黒な香りが広がってなかった時か
今　雲が君の耳元に迫って囁くが聞こえない

君は悲しい寒さを感じ　ゆっくりと頭を上げる
孤独が孤独を連れてくる　陽光が陽光に溶け入るかのように
私は凍えた唇で君にキスできるだろうか
石の鏡を照らした陽光は私たちを呑込むだろうか　教えて
さらば　愛おしい人よ　君は逃げて遠くへ去れ
樹木は大地と争わない
ここは真冬　樹木の緑の葉は冬眠したまま
淡い黄金色の一摑みの魂は私の掌と指に
春は私の志
時間はまだ残されている　永遠のように
愛おしい人よ　先に死ぬのは私か君か　答えて

一九九五年十一月　ウルムチ

夏は一つの陰謀

私は汗まみれでアン・セックストンを読んでいる
浮遊する埃が空気を追う
都会の無数の鳥に変わりホームへ飛んでいる
風は
唾を飛ばしながら
あちこちに黴菌を撒き散らす
君は
真に生きたことがない
白い嘴の鴉ではない
赤い芝生でもない

私は第六感を信じない
それは昨日の地下鉄で会った老婆が口走ったかのように
人を欺く
二人に唯一共通するものは恐怖
聴き慣れた鋼鉄のようなその声は
飲み物のように骨の髄まで浸みこみ
凝固する
山が動くのを見る
テーマを創作することの重要さも感じている
海が燕の巣の上を飛翔するのを見ている
君は私を現実に戻す恐ろしい力
車にぶつかった人形
それは芸術と糞の誠実さ

夏は一つの陰謀

しなやかな思い出の中をよろめきながら歩く
父が家から追い出された時に帰る場所は
泥の寝床

昨日の雨を知らないのか
可哀想な雨音が未だに枝の間に響いている
己をすべての昆虫類に繋ぐべき
疑いが消えた時
それだけが
ただそれだけが私に自身を破壊する力を与えている
カシュガルのジャーミーの前で
計り売りの大麻があったのが忘れられない
私の語るに値しない子供時代
今日の私は　手を
汽車の窓から延びたあの手を思い出した

その手を記憶に留めるために多くの犠牲を払った
そのために
私は腐敗する権利を放棄した
周りの真空は私に死の喜びをもたらす
喉元をゆっくり通って胃の奥まで辿り着く

私は弱者のスリッパへの憎しみを学んだ
十四歳の時だった
歯痛のために打たれたプロカイン注射の効き目が
未だに続いている
失望に満ちた午後
私は帰ることができる　君の許に帰ることができる
大バザールのここかしこに見られる腐った水溜りを除いて
私は何処からも何も望めない
泥の匂いを嗅いでいる

私は真に生きた試しがない
灯が消えた冷たい暗闇
こそこそとやる自慰
大酒呑みになった一つの民族
私を攻撃してくる
アスカルは私を見つめ
この野郎は結構いけていると叫ぶ
しかし
私は形式を作っていない
それは最後の切り札
私は読んでいる　汗まみれで読んでいる
幽霊が艶やかで透明な肌色を浮かび上がらせ
私の目に光を投げかける巨大な反射鏡になる

一九九四年七月　北京

ウルムチ

町は
死せる氷の中
古の凍てつく風が
尊厳を吹き飛ばしていた
水面に映った星影が
ずぶ濡れになった
地面から蒸気が立ち昇っている場所で
真昼の一時　私は啜り泣きを耳にした

町は

繰り返される乱れた物語
主人公になれない私
幾年も前の太陽の光が煌めく夏の日
愛への恐怖を抱いた病んだ娘が
愛しているというウイグル語が分らぬまま
町から立ち去った

町は
疲れきっていた　私のように
春と秋を拒んだ
霧の中で遠のいていった

二〇〇七年三月　ウルムチ

四十五歳

縁起の良い泉が山の裏に回り込んでいた
干上がった川は己の川床で死んでいた
私はガムをかぶりつきながら歩いていた
太陽に至る土の道は
禿げた森の傍を通っていた
一本の木の後ろにもう一本の木
根っこで地面を掘りながら祈禱していた
私の手ではなく忍耐する者の手
私の手ではなく続く者の手

二〇一五年五月　ウルムチ

思い出

諦められた二時間の死　香り
色紙から作られたかのような綺麗な爺さん
私を見つめて笑っていた

心から過ぎ去りようのない戦争で
ハンサムな兵士は寝言を言って眠れなかった
夢で親指ぐらいの巨人を見ていた

血の色　尿の匂い　傷口

暑さの刃　寒さの針　体の穴
死の懐　恐怖が癖になる感覚　私は飛び越えて来た

私はまだ預言者を見たことがない
私は自分がいる時間を知りたくなり
いつも目を破いて開けて見ていた

敗北の末のように元の場所で静かに立っていた
彼を興奮させる縄は
白く　頑丈　真実で　美しい

一分緑色で割り切っていた
六十秒で満ちたが　止まっていなかった
自殺者の神のように怒っていた

心の中に神のウイルス
感染者の祈り
この醜さがその場に七十年もあった
戦に首尾よく生き延びた兵士の脳のように
床板の匂いのように
無駄になった努力の成り行きのように

二〇一五年四月　ウルムチ

私の居場所

ここは　町の斜め東の
名前が多くの人々の記憶に張り付いた
眠くなる場所

私は誓える
世の中でこのような場所があることを魚は知らない
ここはまた角のある風の巣窟

私はここで何の脅威も与えない
私の名に父の名を加えないと

石ほどの価値もない

ここは二十六棟の建物がある庭　私の家は空にある
私と妻と二人の娘が
四つの風船のように浮いている

ここでは
近所の娘が犬の泣き声を真似た声を
思いに更けた壁は決して聞かない

ここでは
野次馬のような数え切れない窓が
裸になった秘密の中に落ち着いて立っている
私が毎日開くことを強いられた三つの鍵のドア

毎日閉じることを強いられた一対の赤い目
毎日自分の皮膚を脱いでまた着る四部屋ある家
ここは私の居場所
私はここに閉じ込められた者
誰が私を閉じ込めたか　私には自分の手のように明らか

二〇一五年四月　ウルムチ

昼前

魔力を失った空気がよろめく屋上で
胸部が露わになった杏子の木が花を咲かせていた
暑さと寒さが出会った境目で
車の運転を練習している女が
恐れの砂利の丘を迂回した
この時期は　全ての人々が寒さを怖がる時だった
奇怪な声に驚いた電柱が
斜めに　さらに斜めになった
実体と影が道半ばで既に離れてしまった
どうすればよいのか未だ考えがまとまっていない幽霊が

年頃になった杏子の花を無視した
彼は電線が切れて頭に垂れかかることを
切羽詰まった状況がもっと悪化するのを恐れて
早足でさらに早足で歩いた
目を瞑っていた遠くの幽かな山が
口を尖らせて埃を飛ばしていた
幽霊は辛うじてこの景色を見て考えた
山を、大地に打たれた釘と言わなかったか
山を悲しみをせき止める堤防と言わなかったか
その時　この幽霊は自分が大衆の幽霊であることを心惜し
　く思った
多くの人々が彼を熱烈に愛し　可愛がっていた
君がいないと私たちはどうすれば良いのかわからないと言
　っていた
しかし彼はこの話を時には信じ　時には信じない

己の役割がどの程度かという判断がつかず
プラトンの思想の中の砂利の丘を見つめた
彼は己自身から解放されるべきであることを
（まるで合成革の上着を脱いだかのように）
己自身がいない場所に辿り着くべきことを
（まるで清らかな水が濃い血の中に混じったかのように）
強く　さらに強く感じた
しばらく後に
車の運転をできるようになった女が
山に至る
行ったら戻れない道に入り　遠ざかって行った
屋上では何も起こらなかった

二〇一五年四月　トルファン

アイスクリーム屋のサウトジャン

涼風が吹きやまない堅い都市の懐かしい通りに
肉体の欲望と別の動きが完全に忘れられた涼しい季節に
通りのセンスの悪い花の葉っぱを
多くの人が鉄の鳥かと思って
口笛を吹いてしまうその時に
水と氷を誰も思い出さない中で
苦しみと大きくなることを望まない子供たちに逢わない
刺激と内なる炎を抑えることに飢えた娘たちが
群がらない所で
私はアイスクリーム屋のサウトジャンに会った

優柔不断で気が弱いドア
踏み躙られた二段ベット
自らの定めに挑戦したデコボコのテーブル
いつも腹ペコの半開きの窓
気持ちが沈んでいる四角い椅子
家族全員が愚かにも処刑された真っ白な天井
目の前に浮かんだ
これは学生寮だった
私はサウトジャンと寮で初めて会った

考えて見ると
彼は誰かに憧れて詩を書いていた
手に職をつけるために弟子入りをした

誰かに研究したいとも思っていた
誰かかと組んでコックにもなっていた
誰かに雇われ　編集者になっていた

サウトジャンが暁にアイスクリームを作れると誰が信じよ
　うか
彼が裸でいた時を
病気になったことを
妻と子供に恵まれたことを
他人から借金したことを
妻を甘やかしたことを
酔いつぶれて吐いたことを
子供を殴ったことを
踊ったことを
悔しさのあまり泣いたことを

その他のたくさんの彼のことを
私は見ていない

存在すること自体が奇跡
理に叶うなら奇跡はありえなかった
つまり
私たちは一つの奇跡

二〇一五年三月　ウルムチ

道

一

厳しい冬を生き残った一人がいて欲しい
彼が雨を胸ポケットにしまい
風が種を畑に撒いている
ある農夫の近くに行き
彼に「ほら、私が来たよ」と言い
帰りに七つの家から綿を乞い
指の間に加えて私に見せて欲しい

二

朝餉に向かった天使がいて欲しい
彼女の手には青色の小包みがあり
彼女は速達でそれを私宛に送り
その中から言葉が話せる雲雀が出て来て
私に「ほら、私が来た」と言い
その天使が家に帰って
行燈の芯を棉から紡いで欲しい

三

遥か遠くの荒野で唯私だけの為に育った
私以外の誰も注意を向けなかった
一本の木があって欲しい
幹が鉄　葉が銀　果実は金であって欲しい
私は風の種を胸ポケットにしまい　その傍に行き
彼に「ほら、私が来た」と言い

帰りがけに
小窓のそばの行燈の下に座して
話せる雲雀を夢見てうとうとしている
農夫を見たい

二〇一五年三月　ウルムチ

朝の哀歌

己自身の二つの命の間に立っていた
時は始まっていない　終わってもいない
私は恐らくその間の
曖昧な境界にいた
時が私を通り過ぎて行くのを感じている
私を抱きしめて　突いて　キスして　撫でて
引っ掻いて　暫し私に留まってから
離れ難そうに涙ぐみながら通り過ぎて行った
次から次へ　果てしなく
巧みな魔法使いである彼

朝を目覚めさせる星を創り
太陽を細かく刻んで空に散りばめていた
私は愚か　私は奴隷　心優しく
彼に心を動かされ　自分を捧げ　それを信奉と呼ぶ
星が一つまた一つと退いて行った
そして太陽に回帰していく
聖なる鳥が闇を突っついて追い払っていた
翼が触れ合って輝いていた
鳥には鳥の生き様がある
朝には朝の定めがあるように
鳥の囀りを聞いた
間近に
しかし灰色の支配は無言だった
それはひたすら耳を傾けないと聞こえなかった
とても濃くそして冴えないから

私は迷うことなく
当時の佳人を案じ
小鳥のように心が躍っていた
目覚める大地はゆっくりとくねった
私は心地よい眩暈と
二つの命の間で歓喜している自身を感じた
今この二つの命は一つのように
力強くなく　心もとない
それでも眩暈が
両手で地平線を捕まえたいと思っていた
私の体はガラス　中で朝は鈴のように鳴っている
眩暈をさせたのは
願いを叶えたのは
命を二つにしたのは
これらだった

私の灰色の泡が
右から左へ動いていた
染みのついた泡は濁った目だった
その一つ一つに
身体の七色虹と
時空の太陽が同時に輝こうとしていた
ああ　一日の合唱に臨む者よ
ああ　聖なる集いよ
目を大きく見開き
私は夢を見ない朝からいつ救われるのか

二〇一六年三月　ウルムチ

秋

砂漠を歩き果てた川が
海が広がって近くまで来てくれることを
その場に座して待つことにして
水を広げて小さな流れに分けた

しかし水は遠くに残された雪山を
そこに降る雪と氷を想っていた
水は家に帰りたくなり
戻るつもりでいた

それで滝が現れた
波の毛が逆立った
水を渡る人と水で溺れ死ぬ人が
相半ばした

幾ばくかの土地が魚に変わった
水底に残された石には
想念の葦が生えた
岸にあるポプラの木の顔は悲しみで黄ばんだ

挙句の果てに
耐えられなくなった川が
中の水に言った
お前はなんでこんなにも自分勝手なのか

私が凍えていることを感じないのか

二〇一六年三月　ウルムチ

午睡

陽光で乾いてしまわない
雨で溶けてしまわない
寒さで固まってしまわない
風で飛び散ってしまわない
大きくなって道を外してしまわない
運命の定めより早く死んでしまわない
綺麗な子がやって来た

二〇一六年三月　ウルムチ

都市の夜

空港から　駅から　バス停から
流れ出る無数の人が
狂ったように都市に飛んで行く
地面に勢いよく撒かれた汚水のように吸い取られる
けれど　私は歩いてその夜の近くに行く

輝きながら私の目の前を過ぎて行く
頑固な通りと怒りっぽいバス　腰を屈めたビル群
睨みつける街灯　乱れた道　侘しい塵
美しい牢屋と剝き出しのセメントの柱

私は来た　いつも来るように
まるで誰もが離れていなかったかのように
この都市の能力と夜の凄腕
一匹の黒猫と一頭の白山羊になり
私の真ん前を繰り返し横切っていた
私ができることはこれだけ
山と共にこの都市の両手を摑み
反対方向に引っ張る

実のところ
私はこの都市の全てに無関心
死に場所に相応しいとも思えない
私にしがみついたその夜
その頭を撫で　コソ泥のような目を見つめる
手を摑んで下に引き寄せる

霧を纏って共に寝る

この都市で私は　敵である己に対峙する

二〇一五年二月　ウルムチ

無限

私は言葉から意味を探し求め
言葉を失った悪夢から目覚め
早口で喋ることに慣れ
背中に羽が生え出ることを恐れ
雀のケバブが好きな娘たちを
ホータンの夜のバザールで見かけて
空がお大きなドームであることを信じる

私は一人の割礼されたムスリム
タリム盆地を女の子宮に例える

この例えを疑っては苦しむ
国を出る事なく四十五歳になろうとしている一人の民
国境という言葉を死と言う言葉のように思い
可笑しい状態で元気になる
古代から取り残された一人のシャーマンかもしれない
弟子はとっくに死んでしまっている
ジンが既に消えてしまっている
私は羊の糞　カザフ人の羊飼いの手の中の糞かもしれず
自分が他人の運命を決められると感じる
私は丸の中の曲線
私は老木の若い年輪の中
私は夕焼けの光の輪の中
私は指紋の巾
私はこのような詩を書く詩人
これを読む妻はまたわかりづらいと愚痴るかもしれない

友は私を不治の病にかかった男というかもしれない
それでも私は鎖に繋がれた犬のように安心している
私のこの哀れな心に
言葉で表し切れないものは無限であるが故に

二〇一五年二月　ウルムチ

痛み

「私の懐は君と共に」（ウイグルシャマンコシャック詩『アザイム』より）

一

夜に服を着たまま寝てしまった者
小道に危険な灰を撒き散らして行く者
素足で砂に詩を書く者
赤から黄を分けた者
顔を洗わずに朝餉を摂る者
逢魔が時にアッラーを愛することから解放されなかった者
死は君たちの傍をすり抜けていった
見たのか

かつて　私は句読点のない場所で生きていた
紙にある黄ばんだシミを唾で拭いたまま
その古い紙　そして死ぬ間際の黒いインクの愛おしい香りの
何という柔らかさ
されど　哀れに思っていた句読点のない文の　バブル
　ミルザそして他の人に
厳かさの故に気が狂うように酔ってしまっていた
今日
骨が折れた左手を包帯で巻いて
痛みを感じることなく
右手に載せた自分の写真を見ている
裏書きの中国語を読んでいる
教えようかその内容を
道端の岩に
腰掛けている静かな女に

太陽の光は彼女の頸に射していた
腰掛けている岩は硬くない　座り易かった
私は君たちに会うために頑張った
血管が膨満し　目が疲れはてた
だのに　君たちは私の痛みにうんざりしたのか

二

七歳の子が
蔓の蕾を食べる子が
砂棗の葉っぱの蜜を食べる子が
白いトウモロコシの枝を食べる子が
酸っぱい植物の根を食べる子が
ハンカチに包まれた一斤の山羊の肉を持って歩いている
鼻血を出している
この子は誰の子　知っているのか

陽光が持ちこたえている空の一片のように
私の周りに集まったのか
君たちはどうなりたいのか
君たちは何になりたいのか
私は何を諦めるのか
私は何をなだめたいのか
私は何を君たちに見せたいのか
私は君たちの傍らを過ぎて行った風を遮った
ああ　風よ　君は私の瞳の母である
私は君に畏まっている
それで　君は私に伝えてくれないのか
毒と言うのはどんなものなのか
それを触ったら手が震えるのか
一口飲んだら人が死ぬのか

私は君たちに足を向けて
服のままうつ伏せになって寝てしまった
夢で真っ黒な闇を見つけた
それが私を覆った
首に巻きつかれて
脇を這って進んだ
私の太腿の間を這って進んだ
命の間を這って進んだ
私は鈴の花を食べながら
私は棘を踏んで狂ったように走りながら
音のない怖れを楽しみながら
口を大きく開けた

三

一束一束の光

少しずつ　少しずつの水
一握り　一握りの土
繰り返される痛み
一滴一滴の命
ああ　君たち　私の心で　腹一杯になったのか

果てしない線のこちら側に
私になりたい私は再び来た
暗黒から抜かれた刃のように
君たちは私の心から抜けて行った
私は君たちに合図を送る
毎朝繰り返し唱える
私の息で金の編み物を紡ぐ
そして君たちに
階段で固まった足跡を見せよう

二〇〇九年一月　ウルムチ

私はもう知っている

一

疲れ果てた朝に
夢で見た炎と化する都市
空想がまたもや私の痩せこけた顔から滴り落ちた
笑いを誘う神話と伝説が目から吹き飛んだ
偽りに慣れた手で　赤い唇を抓んだ
魅惑的な瞳を遮って　泣いた
私はもう知っている
神はおそらく心の中で塩になった
天井に見た　一人の娘の懐から目覚めている霧を

二

私はもう知っている
遠く　流離い人の君がいる
遥か昔の美しい一人の女
ウルムチの長い冬　夜を私と共にしたいだろうか
体から漂う粟ナンの香り　長い髪を三つ編みにできないだ
　ろうか
恋人を愛し切れず死にたくなるのだろうか
星が宿る瞳で私を見つめる
私はもう知っている
苦痛を味わいたくなく　死を恐れる
死にたい　けれど
容易い死を願う　常に
祈りの時に死ぬのなら

私と寝ている時に死ぬのなら
まるであの女学生が
夕方に　朝餉の用意をした後に
夜明けには静かに死んだかのように

三

一九四七年　カシュガル師範大学で学んだ女学生が
近頃亡くなった
彼女の思い出の中には親戚の他　誰もいなかった
中途半端な愛の物語もあった
時に考える　あの時代に生きていれば
あの時はきっと日々が興奮　日々が鮮やか
日々が命を護る悲しみ　日々が死
日々が愛
私はもう知っている

歴史が私たちに近いことを　共にいることを
友情の重荷を　愛が病んでいることを
親になることの愚かさを　子供が弱いことを
老いが醜いことを　若さの馬鹿さ加減を
男の偽りと　女の苦しみを
私はもう知っている
すべての思い出がありのままの真実であることを

四

こんなある早朝
腰に白　青　赤　黒布を
巻いた坊さんが祭りにやって来る
目がかすみ　体が汚れ　姿はみすぼらしく
されど　尊く　神々しい言葉
振る舞いは謎に満ち

掌を私に突き出す
私の取り分をよこせ友よ　アッラーの名において
私は何を言おうか　何を彼に与えようか
彼に付いて荒野に行こうか
マザールに　バザールに　山に　園に
捕らえさせようか自分を
蛇とさそりに　虱とダニに
私はどうすればよいのだろうか
あの世とこの世のどちらを考えようか
私はもう知っている
私たちが必ず死ぬということを

五

私はもう知っている
最後の審判の日は岩が大切にされ

地に触れることなく手渡しでされるらしい
最後の審判の日は世の中が炎と化し燃え
一本の苦草の陰に四十人の男が身を寄せる
最後の審判の日は切ない歌声を響かせ
魔女がロバになってやってくるらしい
最後の審判の日は切り捨てられた爪が私たちを救うらしい

六

私はもう知っている
私のアイシャム　アブドワハヒットという名の叔母が唱え
　た言葉がある
――神は自分で結んだ紐を自分で解いてくれる

二〇〇八年五月　ウルムチ

日曜日

ペルハット・トルスンへ

隣の部屋で
ラズヤちゃんが洗濯をしていた
水の音か聞こえてくる
間の壁を通して
私は水の中にいながら君を夢で見た
人間でもない　獣でもない
不思議な存在

一九九四年七月　北京

アブドレヒム

一

私たちの暖かい南で
半円形の眼光がある
それは互いにキスをする　それは直線　それは真っ直ぐに
　立つこと
ある売春婦の姿を拝む心がある
いかなる時代にも属さない絶対的な時間がある
私たちを絶えず苦しめる醜い愛がある

君は朝から晩まで空間を探している

探しながら夜のバザールへ　嘘に辿り着く
半裸の漢族の画家と公衆の愛を探し当てる
またそこから具体化と分析に向かう
大通りを横断する
他人を傷つけないために　みずから遠ざかる
ある一つの景色の昔を想像する
初々しい夜に
注意深く袋小路を見つめる
立ち位置を決められずに子供時代に還る

二

あの時
君の母はとても賢い女性だった
まるで一匹の蚊　あるいは一片の空気に似ていた
彼女はいつも君に「君は私の口から出た」と言った

当時の君はこれが間違いであること
最後の審判の日の一個の石であることを知らなかった
君は興味を持ち　恐がり　自身を軽蔑した
必死に多くの蟻を殺そうと思った
後に君が出会った人すべてに
「星が互いに殺し合う」と言いふらした

三

君はいつもトイレでタバコを吸っていた
トイレですっきりした喜びを味わっていた
心では「私たちもう少しで時間に追いつくことができる」
「時間の尻尾をもう少しで捕まえることができる」
「私たちもう少しでおしまい」と考えていた
しかし君は頻繁に自分の名前を正した
まるで君の毎回の失敗が

君の不思議な名前がその原因であるかのように
「ハイデレヒム　ハプレヒム　アブデレイム
アブドレイム　アブドリヒム　アブドレヒム」
君は考えていた「名前は本当に空から降ってくるのか」
かの死ぬべき言葉を反復する病が君を支配し始めた
君は狂った状態で言った
「空は死んだ雀で満ちている」
「空は死んだ雀で満ちている」

四

時々君は多分夢の中で
裸のままの母を見ているのだろう
恐ろしい見知らぬ所を　絶壁を見ているのだろう
君は結論づけた
娘たちは失望に浸かっている

私たちの思い出が変わってしまうなだろう
君は病気にならず　まるで獣のように
鋭く敏感で　一塊りの鳥の糞が
肩に落ちて髪を赤くしたのを感じていた
色が表現できない内容が
まるで強い酒のように君の頭に昇った
私から見れば　君はまるでコレラを　果物を消化して
哀れな憎しみを養っている
まるで暖かい身体で虱を養っているかのように

五

君は突然自らの顔を見たくなった
君は自ら自身に話しかけた
愚かになった　深みに向かった
必死に髭を剃った

恐れに近づいた
声も持っていく竜巻の中で
北は寒がっている

アブドレヒム
ああ、私の無二の友

一九九四年一月　北京

雨

真夜中の雨
私は起き上がって手を洗う
風は風呂に入っている
しかし
私は裸になりそれが生まれるのを待つ
君の手が雫を繋げて
三時間の雨を作る
君に会いたくなる
頰っぺたを優しく叩きたくなる
しかし

私はまたもや窓から顔を出す
髪と水　顔と目
風と雨　君と私

一九九三年五月　北京

夜

夕方
あちらこちらから慌ただしく戻り
建物にしっかり閉じ込められた

私たち
家から出ると流離（さすら）い人
家に入ると手負いの獣
横たわり傷口を舐めている

一九九三年六月　ウルムチ

電話

心を高ぶらせる電話が鳴る
古（いにしえ）のインド舞踊のように
風の揺らぎがうんざりする
それは　ある過ぎ去った日
竜巻の中で
前世紀からの電話が
もしもしという常套句で繋がる
こんもり繁った杉の枝にある

哀れなランプの灯火を焚き火のように見せかけ
座布団の上に
広がった髪の毛の真ん中で
うごめく一人の美しい女
思いの中の声にキスをする
思いの中の早朝を彷徨う
電話の中の
想像力豊かな一人の人間が
電話口で話す
妖怪が群れが
隊列を組んで通り過ぎて行くのを

心を高ぶらせる電話が鳴る
炎に投げ込まれた一摑みの毛
踊りを見たくなっている

針で靴下を編みながら
電話を永遠に待つつもり

鍵束を響かす
伝説の中の魔性の猫が

一九九三年十月　北京

彼女

彼女は歩く　時には止まる
燃えている小さな木の如く

私は慌しく　無気力
木陰が私の老いたところに
沁みる
それから
花になって咲く

今は月末

腹が空いている　林檎をかじりながら詩を書く
私は微かに浮かんでいる句読点を
見極める
身に纏った闇を抜ぎ捨て
冷静になる
しかし
想い出の中で彼女は私の前を歩く

一九九三年五月　北京

早朝

不意に
氷のような早朝に出会う
それは始まりではない
それは只の実験
失望した人間に
捨てられた汚水

私はそれを心底理解してない
しかし　感じた手足の重みを
なすすべもなく

無力で立ったまま
見出せない夢
誰にも挨拶はしていない
残酷さが頭を過ぎり
倒れないように
おもむろに汚い壁に寄りかかった

一九九三年四月　北京

あるもの

昨日君は酔いつぶれた
音を立てて壊れた氷の刃
君の頭の下で憂鬱が
バラバラになった声を見せた
君はベットで静かに横たわり
しかしあるものは真に存在する
人々は酒を作り
君は溢れた酒に火を灯す
緑色の炎で
一群の馬が山に向かって逃げている

一九九三年五月　北京

蝶

家にいて思い起こす　この世は
情と雑事の間
好奇心は少女に似て
水場の前で
私を惑わせた蝶を
長々と見つめた
思い起こす　あの世を
この瞬間　私の浮いた命が
古の物語に現れた
その美しい本物の蝶の如く

考えに考えた
自身を飾る言葉を探すことを
因果を示さない
愛と憎を表現しない
その時思い出した
老いぼれた哀れな自身の姿を

一九九三年五月　北京

詩人

冬の季節が迫ってくる
私は今日　割礼の儀式に参加し
気分を整える
それで　生活からドラマチックな効果を探す
しかし　私の計画がまたもや台無しになる
思考がテーマから徐々に遠ざかっていく

今日はついてない日
放っておいて
ドラマチックな効果も探さないで

君も知っている
私たちを誰も助けられない

君は自身に愚痴をこぼす
詩人よ諦めなさい　考えを改めよ
君を失望させないために
私は新たな静けさで
君の感情豊かな心を満たす

私たちは一人の人間を必要とする
聖なる人間を
このことは
互いに明らかだ

一九九二年十一月　北京

創造

君は一つのか弱き季節を造った
君の瞳に最初の流れがある
君は夢の形を刻む
波立つ水面に
私の歩みは君の中に進む
それで　君は邪魔立てされることなく想像する
君が水に溺れて死んだことを
昼は短い無気力をもたらす
君　時間の始まりである君
君　時間の終わりである君

悪夢を見る魅惑の夢の中
魂を私に力づくで飲ませた

一九九三年二月　北京

四月

突然
悲しみに暮れて
自身の苦しに耐えられないで
湿った太陽を見つめていたら
愚かさに笑わずにはいられない

いつか全てが黄昏に向かう
接吻に向かない椅子
間違った一言
一回だけの僅かなチャンス

五臓六腑が取られたかのように
私はされた　日々に

四月
抽象的な季節
一つ一つの命の守護神
冗談となって消え失せる生活

一九九三年四月　北京

春

壊れた鏡
真っ赤な血が窓から四つんばいになってはいずり落ちる
私はカーテンを身にまとい
鏡の破片を拾おうとした
その時
その時に
ないはずの一つの息が顔をかすめ
血は下に音を立てて流れていた

一九九三年五月　北京

川

静かで清涼な水面に
一片の黄色と一瞬の熱風を見た
重みは私の肩にのしかかった

静けさは昨日から来た
重みは水に似る

ああ　アッラーよ
独り　いかに耐えらるか

緑の川岸にいても
心は全く空っぽ

一九九一年十月　北京

真夜中の旋舞

なびく十六本の白線
顔が互いに異なる
風で光り輝き
月光で明るくならない周り

暗い隅に入り込み
なびくのを止めない　廻る
数えてみたら　十五　一本足りない
眠らせない　眠らせない　甲高い声で

一九九一年十月　北京

瞬間

壁に残った太陽の跡
懐かしい隅に沈む
誰かに裸にされた私が
震え
張りつめ
この瞬間　私の顔を撫でる

部屋に充満した退屈が
迫って来る
私の耳に押し入る

冷たい線が私の肌に現れ
愚かさが傍で見つめる
屋根がなびく
外から口笛が聞こえる
互いを殴り合う
過去と未来が

一九九二年五月　北京

真昼の十二時

延びた一条の鉄線
切り取られた一片の空
迷子になった一粒の雨
ここは一つの巨大都市

思想は時にはあり　時にはなく
血圧は高く
熱も引かない

なす術もない一本の木

世の終わりの一羽の赤い鳥
凝固した一塊の雲
互いに固く結びついている

静けさの場所
運の尽きた者の時間
すべてが溶ける間際
真昼の十二時

一九九二年六月　北京

南方への旅

去りゆく
身体には湿った跡
風で裸にされた欲望
よそ者のみぞ知る離別の苦痛

敗北した村々
希望を失った孤独な町
濃密になる

無限の宙

無限の大地
眠りを誘う
オアシスは現れては消える
淡い黒の道が思想の中を流れ
太陽を一世紀の間　孤独にする

人が人を殺し
人に殺される
南方は異なり
霞んだ顔で客人を迎え入れ
見送る

一九九四年七月　北京―カシュガル

伝説

君が巡った場所は
恐ろしくも未だに存在する
君の前に影は落ちない
狂った夜と変態の昼
高車（こうしゃ）の軌跡が
砂に刻み込まれては消える
君を撫でた速度が
足跡が石になる
山間の谷に辿り着く
はだけた胸を覗いて

男が賛美する
目を閉じて
風が吹く場所に恋をする
君の心から噴出した一瞬が
歌と調べを　山と谷を
人間と神を隔てる
滴り落ちて固まった泪が
滑らかな砂山を作る
闇夜に浮かぶ堅固な絞首台が
ゆっくりと立ち上がり
輝く陽光の下で旋回する
群生した蒲公英が一瞬
ホータン市の東で再び芽生える
危険な旅の果てに
君はかつてのように

天山の独峰に意味なく再び登る
君の周りに無数の
名もなき天体が現れる
一つ一つの考えが
君と完全に一致する

一九九五年七月　北京―ウルムチ

カシュガルに還る

カシュガルの謎に包まれた見覚えのない姿を眺め
厳かな夜を怖れ　身が震えた
嫁に行った娘　死んだ友　乾いた春
目は大地から消えた一摑みの土だ
テレビ　煙草　汚れた靴下　翻訳原稿
青い橋　野菜市場が秘かに思い出される
軟体の生きもののように横になった
飢えた黒い顔　虚空の心
遠くウルムチで氷の石を誰かが噛み砕く
濡れた目と顔　前にアッラー　後ろに罪

砂糖入りのトウモロコシ粥から透明な蒸気が立ち昇る
電線の上を雀がゆっくり歩く
不安な老人　わがままな青年　好奇心溢れる子供たち
三年の歳月が年をとらせ醜くした
カシュガルは目と眉の間の瞬間
太陽の面に貼られた紙　永遠の墨
古くなり浸食された傷　無念の愛
それでも君は
風を丸めて空に投げ
私を見つめた
思い出コインの穴から雨粒が滴り落ちる

一九九八年三月　カシュガル

身体

亡命した水と
流離(さすら)いの集会
徹底したぶつかり合い
見知らぬ抱き合い
氷のように寄り添い
果てしなく踏み躙られることに
静かに転がることに
死ぬべく丸くなることに
そして
結果なく忘れられることに

しまいに
沙は石と化した

一九九八年三月　カシュガル

嘘

彼はもともと
自身の位置から動かないでいる
遠くの声のように
波の形をとっていた
互いに同時に話している
三人の女の知恵のように
抱擁力があった
十二の目で
十三種類の病を治せる温泉のように
リズミカルだった

今
彼のデータが少なくなってきた
詳細が省かれた
物語が単純になった
彼は本当の言葉に似るようになって来た
ああ　これから修羅場が待ち構えている哀れな者よ
そう　私たち二人は徐々に近づいている

二〇一六年四月　ウルムチ

壁のそばのアミナ

真っ赤な葦のそばで
登記簿がない田んぼで
人々はサトウキビを血を流すことなく切っていた

真っ白な霜に覆われた太陽が
遠くの給水塔の上で
後ろ向きに欠けた文字のようにぶら下がっていた

黄色の尿で地面に字を書ける
一列横隊の勇士が

牛の牧場の前を浮遊しながら過ぎて行き
風に向かって進んで行った

土壁の穴に
丸めて隠された真新しい書き物から
女の弱々しい声が聞こえた
我が愛おしい娘アミナ
お前を父親に託した

二〇一七年十二月十四日　ウルムチ

考え

石炭になる前の
乾いた木の洞に座っていた
危険な考えを続けていた

時には炎の縁に近づいていた
闇の雲の間を彷徨っていた
アラビア文字から改略された文字から戻ってきていた
人間の弱い心に突っ込んでいた

着古した上着

髪の毛を買う女
鋼鉄で出来た鋸
忠実な看守

耳が聞こえない　何も聞こえていないと私は言った
それで不吉な物語を拒みたいと思っていた
目が見えない　何も見えないと言った
それで嫌な人物から逃れたいと思っていた

石炭になる前の
乾いた木の洞に座っていた
舌を嚙みながら

二〇一六年四月　ウルムチ

崩壊過程

一

一つの目がもう一つの目に話しかけていた
その真ん中を通った
言葉は私にぶつかってこなかった
私も彼らに触れていない
二つの目が互いを見られれば良いのに

二

学生たちが私の口に入ってきた
彼らは真正面を見て真実の文字を

額に貼るべきだった
いづれの時か　私が彼らに休み時間を与えたなら
彼らがそれで互いの違いを見ることができたのに

三

春に虫が欲望のように動きまわり目覚めていた
ゆっくりと広がって私たちを刺していた
私は彼らを真摯に見極めていた
私は彼らを深いところで躊躇させていた
彼らは互いを見たくなかった

四

私は空に近づいていった
近づいて行くに連れて空が消え始めた
私がその中に入った時は独りぼっちだった

我慢が限界に達し
私たちは互いを見ることができなくなっていた

二〇一六年四月　ウルムチ

水彩画

一枚の古い紙
細かく見て見よう
明かりにかざして
誰と誰が　何と何が描かれているだろうか
永遠の顔はどんな顔だろうか

沙漠のように人を呑み込む目
盆地のように飛ぶ唇
不毛の山のように走る鼻
荒野のように流れる顔

森のように眠い髪
この色褪せない様が
君が考えていた通り
この雅さは
計り知れない

これは紙が薄さを超えたこと
古の王の標準的な頭蓋骨が
この紙の果てしない表にて
炎から創られた多くの強盗
そして
水から創られた恋人同士

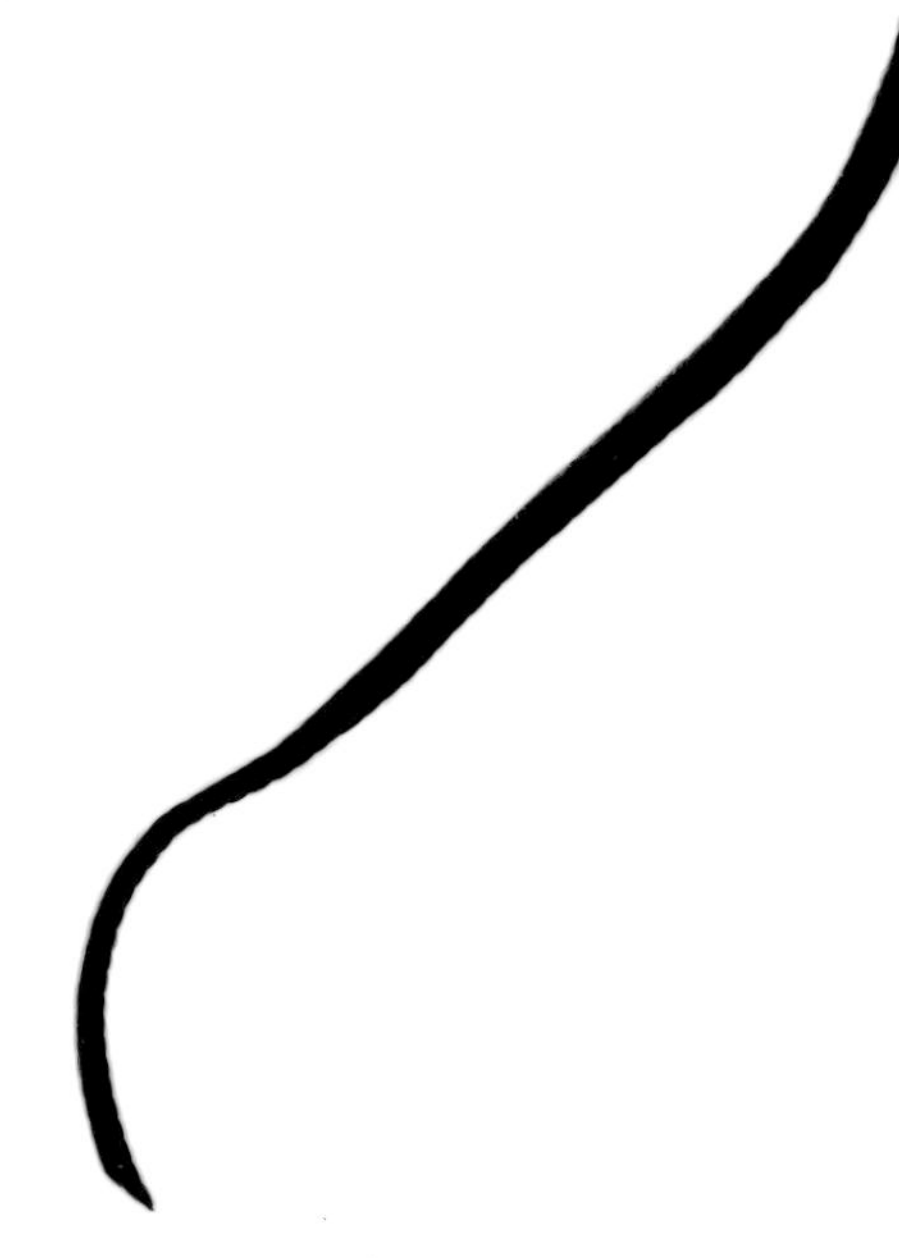

二〇一六年四月　ウルムチ

七色虹

あるものは石に繋がる
弾ける音を出す
あるものは鉄から生える
刈りとられたばかりの草のような匂いがする
あるものは布を穿つ
千枚通しのように鋭く
あるいは中年の色の光から形成される
雨と何の関係もない
私たちはこれをよく知っている
小さい時

サタンが私たちに自転車を乗ることを教えたあの時から
長いこと
私たち二人は世界の両果てに
まるでメジャーの両端を捕まえた
二人の測量士のように
間違いが生じることを案じる
しかし
毎回
食事の後
感染症を治す薬を服む時に
頭を上げて
私たちの七色虹を共に見ることができる
家の中で
門の前で
もしくは病で死ぬ前の日に

二〇一六年四月　ウルムチ

祈り

毎回
両手を顔に近づける度に
私の目の光が
沈黙に転じる
そう　私は一人の賢者の罪人
怒りを無言のまま呑み込める
掌の温もりと息の流れが
寄る辺なく盲目的に合わさった時には
私の唇がデタラメに意味不明に動く
足るを知る　感謝　願いを言う間で

恥知らずにためらった時には
針の穴から駱駝が通ったことを思い出す
私は愛を耐え忍んで考え
それが楕円形の領域であることを確認する
宇宙のあらゆる方向に均等に広がる声が
私を不安に晒そうとした時に
掌で顔を撫でる
この動きは恐らく粗野で素早い
私をせかす理由が一つある
私は「お父さん」と心から呼ぶべく
長々と見つめるべく
一羽の老いたカラスと馴染みにならなければならない

二〇一五年十一月　ウルムチ

雨乞い

荒野に
道を作る工夫が舞っている
毒々しい直射日光が
彼らの弱々しい影を消し
氷のような額を明るくしている

風で舞う女たちのスカーフが
乾いた風を忘れてしまっている
男たちの痛そうな目が
あちこちに散らばって見つめる

殺められたミネラルウオーターのボトル
処女を失ったビニールの袋
砂利を生き返らせる一切れ一切れのナン
仰向けに倒れている血まみれのシャベル
すべてそれらは法事向けのもの

彼らが聞いているのは石の音楽
舞っているのは海の踊り
しかし自身はそれを知らない
それは彼らのすべての知恵が
一歩一歩をどうとるかにあるから

二〇一六年二月九日　ウルムチ

豪雪

一番重要なものがまだ見つかっていないこの二日間
ウルムチは豪雪に見舞われた
これはアッラーの慈しみとみなされる

流れ者の果物売りが豪雪の上を力んで歩いている
このような人々はいつも人がたくさんいるところに行くと
必ず災いに遭うか　あるいは死んでしまうと推測される

家から出たがらない勇ましい人々
雪が降らないところといなくなった爺やを

雪に埋もれた車とまだ授かっていない子供
そしてうまくいかないことを淡い悲しみと共に諭ずる

しかし豪雪は
ギャンブル好きな人のように騙され易く　優しく　忍耐強い
汚いということものちに必ず暴かれる
そして踏み躙られ　固まり　ゆっくりゆっくり溶けていく

まるでこの豪雪のように
多くの勇ましい人々が
幾度も幾度も
諦めることを希望していたかもしれない

来る人もいれば
去る人もいる

去らない人はいない
来ない人はいる
二日間降ったこの豪雪は
この世に生まれて来なかったあの人々の喜び
と想像される

二〇一五年十二月　ウルムチ

二人の女

一

風で創られた窓から上を見ながら
再び近づいている真っ黒な魅惑的な空で
夜中に
梟が鋭い爪で空を
興奮の只中で完璧な形で穴を開け
穴だらけにしたことを見つめている
私の前で
水の滴る音が心を切なくしていた
私は朝餉の後すぐに寝た

幾日かの後の黄昏に
電気ドリルが壁に穴を開ける音で目が覚めた
何事かと耳を澄ませていると
上にいる女が言った
ああ　頭がクラクラしている暇な輩よ
注意力を散漫にするな
あの颪の夜
君は私の傷ついた夢を見ることができなかった
私は一人の麗人
一生眼の餌食になる
下の方から探られる
驚いている
しかし
私には裏と表がない
穴を開けられているのは私の大切な体

滴っているのは私の唯一の水

二

霧で創られた窓から下を見ながら
動かないで屹立している都市の大通りで
昼間に
掘削機が道路を好むまま
完璧な形で掘っているのを見つめている
私の後ろで
水の滴る音が心を苦しめていた
それで　私は飢えたまま寝た
幾日か後の早朝に
キツツキが木の幹にに穴をあけている音を聞いて目が覚めた
何事かと耳を傾けていると
下にいる女が言った

ああ　頭を悩ませている　暇な輩よ
注意力を散漫にするな
あの霧の日
君は私の散らばった内臓を見ることができなかった
私は一人の醜女
時に鏡の餌食になる
上の方のから探られる
驚く
しかし
私には表と裏がない
穴を開けられているのは私の唯一の体
滴っているのは私の尊い水

二〇一五年十二月　ウルムチ

超越の時刻

私の闇の胸の内を曲がりなりにも読む暁
今日の日付けを階段に変えた
彼が使ったナイフは私の夢を超越した明かりであった
目覚めよう
超越の時刻がやってきた

夜中に独りで眠った一本の真冬の木が
まるで独りで眠って　足をもう片足で擦って
足の毛が抜けてしまった美しい女のように
睫毛に宿った想いを

明かりにかざして見た
立ち上がろう
超越の時刻がやってきた

現実に直面するべき　千歳の語り部の
話について行けなくなった　伴わなくなった
通りで人々が口を開けて空を見つめていた
歩こう
超越の時刻がやってきた

忘れるということは思い出せないことだけではない
死が私たちを救うとも思えない
私たちを思い出せなくして責めているものは何か
全ての苦しみを本当に生き残った者が担うべきか
考えよう

超越の時刻がやってきた
ドアの前に残された一塊りの風変わりな鉄が黄昏で小さく
　なった
疲れが取れたらそれを拭いて磨く
生きとし生けるものとそうでないものが帰ってきた
日付けが短くされ　場所が狭まった
座ろう
超越の時刻がやってきた

夕焼けは　そして私たちの考えを顔に広げた
私たちは横になりたがっていた　ため息をついた
太陽が寂しく沈むのを忘れてしまった
既に一日が無事に過ぎたと言い合った

眠ろう
超越の時刻がやってきた

夜の水が溢れはじめた
私たちは魚の懐で眠った
真珠に私たちの手が届いた時に
私は夢から戻って恋人を探した
寝言を言おう
超越の時刻がやってきた

私たちはこのように超越することができないでいた
自身のそのままの高さのまま　背の低い夜に
口を大きく開けて天井を見つめながら
超越の後の時刻を待つ羽目になった
紛れもなく　夜が明けた時に暁が闇の胸の内を再び明るく

する

二〇一六年二月　ウルムチ

君たちには見知らぬ場所

ここに感染症の名前が元々なかった
私たちがあると言うことであるようになった
沙が根を張ることもなかった
私たちがあると言うことであるようになった
時間が滴ることもなかった
私たちがあると言うことであるようになった
独りぼっちが増えることもなかった
私たちがあると言うことであるようになった
空が千の目を持つこともなかった
私たちがあると言うことであるようになった

忘却が流離うことも
私たちがあると言うことであるようになった
しかし私たちがないと言うことで無くすことができたもの
は一つもない
あるようにしたものでさえも

二〇一六年二月　ウルムチ

渡世人

如何なる水にも
風にも
雲にも
その由来と道程と目的地がある
それらは君が行ったところまでは決して行けない
それらを飛べると言う者を黙らす

如何なる声にも
光にも
香りにも

始まりと過程と終わりがある
それらは君が行ったところまでは決して行けまい
それらを鋭いと言う者を黙らす

如何なる悲しみにも
愛にも
美しさにも
誕生と人生と死がある
それらは君が行ったところまでは決しては行けない
それらを敏感と言う者を黙らす

二〇一六年二月　ウルムチ

少ないと言うことと多いと言うこと

君らは知らない
あらゆる恐怖は多いと言うことから来ることを
信じなければ
多い　多い　多いと叫んで見ろ
唇が嗄れた時に
不吉な予感がする
息が口から勢いよく出た時に
手足が震える
あなた方の声を聞いた誰しもの
顔から血が引く

滅びる寸前の希少動植物
数を数えられない奇怪な虫や爬虫類
夢の中だけに出て来る稀な樹木
伝説の中の値がつけようのないほどの鳥たち
稀に巡り合う色彩のあるメタル
彼らに少ないと言うこと多いと言うことの違いが理解できるのか
彼らは希望を持つと言うことよりも悪い病にかかり
見向きもされずに少なくなり絶える

世界が持っているものは複数の語尾である
凄まじい戦争を表すのは多くの点である
あらゆるものに勝つのは増えゆく系統である

しかし知るべき
果てしない海の水は魚を
果てしない荒野は蜥蜴を
厳かな山と峠は刺草を
七層の空は雀を苦しめる

繰り返す
左の耳と右の耳　よく聞くように
あらゆる苦痛は少ないと言うことに由来する
信じなければ
少ない　少ない　少ないと呟いてみろ

二〇一六年二月　ウルムチ

片思い

ダスタン（長編叙事詩）

一

私たちはこの世であなた方と共に在る
風と水　炎と土が共に在るかのように
死んでしまっている　だからもう死ぬことはない
時間に果てがないように

私たちは罪人であっても
悪と見なされても
汚れていると呼ばれても

彼らを怖がって
あなた方から遠く離れて
孤木を
古びた粉屋を
廃墟の壁を
空き家を
橋のたもとを
道端を
墓場を
ゴミ捨て場　灰や汚水を捨てる場所を
家畜小屋を
血まみれの穴を
角を
せせらぎの辺りを
闇の一隅を

廃れた場所を
住処にする
あなた方が知っているものは私たちも知っている
知らないものも知っている
できることを私たちも知っている
できないことも私たちは知っている
私たちはあなた方の恐れの一部
（あなたたちは小さい時から私たちを恐れる）
好奇心の一部
希望の一部
（あなた方は私たちを通してある目的を成し遂げたいとも願う）
私たちには名前があるが姿がない
魂があるが体がない
昼に眠る
夜にはあなた方に

白髪の婆さん　黒猫　青山羊
あるいは赤い炎の姿で見える

二

彼らも私たちと共にいる
彼らも死んでしまっている　だからもう死ぬことはない
しかし　彼らと私たちの間に大いなる違いがある
彼らは尊い
可汗
英雄
祖先
強力
善良
彼らは
あなた方が焚いた香と

生贄の血と
唱えた祈禱で
力が蘇る
白馬に乗って
豪華な衣装を着て
黄金の冠をかぶり
旗を手に取り
青空の下で
地上で
颪の中
雲の中で
手には刀　槍　剣　三日月型の斧
貝殻から作った矢じり　石の礫を持って
あなた方を守る
私たちを監視する

火曜　水曜　土曜の夜に
あちこちから呼ばれ
私たちを追い払う
彼らが私たちを殺せなくても
私たちは彼らを死ぬほど畏怖している
片思い

三

君が生まれるそれこそ何年も前から
正に君が生まれたこの場所で
今の自分に変えられた旧い一人の人間だ
私はみんなの中の素朴な一人
私は昔から素朴な一人の人間だった
過ぎ去った物事と変化を
幾多の年月を経て見つめてきた

あなた方にある美と力を
彼らにある幸とエネルギーを
私たちにある才と勇気を
あなたたちにある憐れみと愚かさを
彼らにある残酷さと自画自賛を
私たちにある囚われの身と無意味さを
幾多も経験して退屈になった
私が生きたあの頃は今とは違った
しかし私は今も昔も好きではない

私が生まれて間もない頃
父と三人の兄が戦で死んでいった
母は「私たちは空から滴り　大地から芽生えた」と言って
いた

私はこの言葉を理解できなかったにしろ
この言葉を信じていた
そして出来事を後に知ることになった
私が一歳半の時に母は他の男に嫁ぐために
老魔女の当てにならない言うことに従い
私のような病弱な赤ん坊を
駝鳥の肉からとれたスープに毒を入れて飲ませて
死なせようとした
豈図らんや
スープは私に良い効果をもたらし
エネルギーが満ちた結果
起き上がって歩けることになった
母は私を抱きしめ
一方では泣きながら
他方では笑いながら

私のことをいやましに好きになり
考えを改めた

日々が過ぎ
月が過ぎ
年が過ぎていくにつれ
青年となり
健康で逞しく
男とあろうものなら
幼いころから満たされない欲望があった
大人は私たちに
男女の密事を物語った
誇張と自惚れをもって
地元のある美しい女がアバズレであると
期待と悲しみが交錯して

男前のハゲと雌のロバについて
不可思議な伝説がでっちあげられていた
こんな話を小さい時から聞かされて
異性に憧れがあった
動物が交わるところを見つめていた
近所の娘たちによからぬ妄想を抱いていた
しかし臆病だった
欲望が私の目を血走らせても
欲望が私の花を膨らませても
欲望が私の体内ではち切れても
耐えた
自分を抑えることができた
しかし　一人の女の子も好きになれずに
また
一人の女の子からも愛されることなく過ごした

そんなに醜いわけでもなかった
悪でもなかった
母は私のことを心配して
近い内に
私を一人の娘と会わせようとした
上手くいったら
私に娶らせようとした
（これが彼女の最大の望みだった）
そして正にこの通りになった

私は英雄ではなかった
勇者が崇拝される時代であっても
勝者が全てに勝る時代であっても
強者の世界で
私は生まれながらの弱者だった

ただ人間を怖がるだけではなく
神々をも恐れた
神々をも恐れた
神々をとても恐れた
だから　それゆえに
神々を信じなければと願った
神々に捧げる儀式から
神々に関する言説から
神々に属するものから
遠くに逃れた
神々の不在を願った
自身が善と悪の間に在るのを感じた
自身が罪と徳の間に在るのを感じた
それゆえに
私に神々の怒りが降り立ったと言う

その月が満ちた夜に
私が家で寝ているところから引っ張り出された
母が半裸で泣きながら懇願することも無視し
私がまだ十分目覚めぬ内に
私がまだ何が起きたか分からぬ内に
私を引っ張って連れ出し
村の真ん中の白い岩石に伏せさせて
三日月型の斧で私の頭を斬り落とした
三日月型の斧の刃が首をはね
岩石にぶつかった音がはっきりと聞こえた
父の魂が悲しみにくれながら見つめていたのかもしれない
兄たちの魂が憐れみをかけて見ていたのかもしれない
体が真っ二つになった
血は神々に捧げられた

祖先になる予定が
今は裏切り者になった
身内のはずが
今はよそ者になった
魂になるはずが
今はジンになった
善になるはずが
今は悪になった
綺麗になるはずが
今は穢れになった
体を村の外れの黒岩石の上に捨てた
髪を引っかけて首を高く揚げた
三日間体と首の間で彷徨った
私の瞳を啄(ついば)もうとする禿鷹を
捨てられた体を喰おうとしている飢えた狼を

決して近づけさせなかった
顔を引っ搔いて血みどろにした
髪を引っこ抜いた
顔を撫でた
涙を拭いた
髪の毛にキスをした
彼女は私がそこにいることを知っていた
しかし私を見ることができなかった
彼女はまたもや神々に嘆いた
自身をあちこちにぶつけた
先ず彼らより祖先が先にやって来て私を追い払った
私を鞭打った
川沿いに一旦去ったが三日後にまた戻ってきた
母が供養の儀式をすることが許されなかった
そして彼らの英雄が私を追い払いに来た

私を劔で斬った
荒野に逃げて七日間で戻って来た
最後に彼らから可汗が帰ってきた
私を槍で刺した
その逃げ足で
私のような者が属する場所で
墓場で
血塗れの穴で
道端で
源流で
大きな橋の下で
下水を流す穴で
廃虚になった壁の下で
真っ暗闇の洞窟で
流離った

よそ者　汚れた者　罪人
流亡した者や悪人に加わった
永い間
飢えて　流離って　孤独で　静かに過ごした
（ずっと昔に死んだ母には一度も巡りあっていない）
誰にも手を出していない
誰とも争っていない
他人に虐められたら黙った
怖がって　逃げて　隠れて過ごした
やがてあの日
君に逢うまで

四

それはもう一つの月が満ちた夜だった
とある涼やかな日曜のことだった

君は自転車に乗って
私の傍を通り過ぎた
この間に
デビルの将軍であるサンジワニデビルが
橋の下の私の巣を奪った
私はなす術もなく
村外れの道端の
老いた一本杉のところに引越して来た
夜中でもここは人通りが絶えなかった
私は独りぼっちだから退屈して
(これが私の唯一の悩み)
通り過ぎる、人一人に注意していた
しかし誰一人にも手を出そうと思っていなかった
興味を示さなかった
暗くなって間もないころ

杉の枝の上に座って
チリンチリンと鳴る自転車の音を聞いて
下を見つめた
月明かりで
君をはっきりと見た
月明かりで
君を懐かしく感じた
月明かりで
君を見てびっくりした
月明かりで
私には今まで決してなかった
今まで決してなかった
決して決してなかった
ある状態が起きた
月明かりで

私は考える間もなく
迷うことなく
枝から飛び降りて君について行った
君は私に気づいたようで
或いは
一本杉を怖がったようで
自転車をもっと速く漕いだ
ああ　なんて甘い
君の体から漂うこの淡い香り
ああ　なんて美しい
君の顔　瞳　口　鼻　唇
ああ　なんて魅惑的
君の驚いたような魂　震える体
私は君の周りを回って
君を思う存分見つめた

君の匂いを思う存分嗅いだ
君を思う存分知った
君について
君のドアの前まで行った
家に入る勇気がなく
外で独り残った

五

それで私に不思議な日々が始まった
昼間は眠れずに疲れ果て
夜は当てもなく彷徨う
君から離れたくなかった
君を見ている他なかった
君が灰を捨てる時に
汚水を流す時に

ゴミを捨てる時に
私たちに迷惑をかけないために
私たちに恐れを持ち尊敬を払い
真心から
避けて　避けて　避けて　と言い
私はこの言葉に喜んでいた
君の心の綺麗さ
誠実さ
怖がり易さ
私をこの上なく感動させていた

君が教室で授業を受けている時に
校舎で本を読んでいる時に
廊下で同級生と話をしている時に
自転車に乗って家に戻っている時に

食事をしている時に
皿を洗っている時に
もの思いに浸っている時に
沐浴している時に
祈っている時に
厠でいる時でさえ
いつ如何なる時と場においても
私は君と一緒にいた
（唯一私が入り込めない場所は
君のあの小さな寝床だった
と言うのもそこには大きな立て鏡があったから）
私は君が歩く道で立っていた
君が座った場所で寝ていた
水を飲んだ蛇口を愛していた
乗っていた自転車を撫でていた

飯を食べた茶碗を舐めていた
着ていた服を触っていた
触れていたものを嗅いでいた
君はこのことを全く知らずにいた
私を知らなかった
私を分からなかった
私を感じていなかった
君が私を知ることも
私を分かることも
私を感じることも
決してありえなかった

私は自身に似なくなってきた
恋することになった
君に恋することになった

この恋は私が生きている内に私に巡って来なかった
死後
長年の間
私が遭遇しなかった
私の縁だった
私のように愛がないものにとって
囚われのものにとって
不吉なものにとって
この恋が
情熱が
不安が
どれだけ貴重なものであるか君は知る由もなかった

六

冬がやって来て休みになった

君は外にあまり出なくなった
私は君の家の周りを回っていた
考えがまとまらず
自制できない私の行動
哀れな状態
紛れもなく君に恋していた
昼間に庭先で君を見かけた
君が外に出た時には
君について行った
君と一緒にいた
注意深く距離を保った
（彼らに見られることが怖かった）
厳冬の長い夜に
気を失った木の枝先で待ち侘びて
垂れた氷柱の中で待ち侘びて

毒を持つ棘の先端で待ち侘びて
狂おしい吹雪の背中で待ち侘びて
憂鬱な雪の華の鋭い鋒先で待ち侘びて
迷った老いた烏の翼先で待ち侘びて
君が一人　外に出るのを待っていた
君が偶然　一人で出ると
狂喜に満ちた
君の足元で　君の頭の上で
君の後ろで　君の前方で
回っていた
君の髪の毛に　肩に　腕に
止まっていた
君を　君に恐怖をもたらす闇から
傷つける恐れがある危険から
守っていた

正にその時
正にその時
私と関係があるはずのないある憂鬱が
関係があるはずのないある憂鬱が
全く関係があるはずのないある憂鬱が
君で始まった
君の腕白さが減った
私が好きだった君の素直さが減った
君の魅惑を造った
君に価値を与えた
私に希望を与えた
力をくれた
君の孤独が弱まった

私は知っていた
（知らないで済めばどんなに良かったか）
いずれかはこうなるはずだった
それは十七歳の美しい娘の苦しみだった
これは私が立ち会う凄まじい試練だった
あなた方にあるのは唯一枚の愛の手紙だった
誰かが愛の告白をしょうとするなら
その手紙を写して自分の名を書いて
愛の告白を受けるものにあげた
君のそのような手紙が届き始めた
君はタクラマカンのこの一隅に生きる
普通の娘だった
私のように君と同じ世にいながら
別の形で生きるものに対して
君はとても弱い人間だった

（あなた方はとても弱い人間だった）
君を憧れの目で見た者を
君に良からぬ気でいた者を
冗談言った者を
恋した者を
愛の告白をした者を
病気にすることができた
障害者にすることもできた
気の触れた者にすることもできた
殺めることさえできた
しかし君に恋しているがゆえに
嫉妬の炎でバラバラになったが
黒糸のように断ち切られても
白布のように裂かれても
そんなことはしなかった

最も私を苦しめているのはこれではなかった
最も私を苦しめたのは
君の心で男に対し目覚め始めた
徐々に強まる欲望だった
まして（苦しめたのは）
君が彼らを笑って見つめること
彼らに冗談を言うこと
彼らに密かに興奮すること
炎のように息をすることだった
そのような時は
私は自分の居場所が分からなかった
自分で自分の首を締めて
竜巻のように回って

息ができずに悲鳴をあげて
空と地の間で彷徨った
君が永遠にわからない難儀の中で苦しんだ
それでも君を決して悪く思わなかった
悪く思わないからこの苦しみに耐えられた
それも君が人間だったから
君には君の人生があり
その訳は私のものとは異り
成り行きは私には及ばなかった
恋があった
私はそれを悔しさの中で理解していた
しかし最悪なことに
君は臥したままで
外にあまり出なくなったから
その部屋にあるあの悪質な大きな鏡の故に

私はその部屋には入れなかった

七

私は君に会えなくなるにつれ
高揚し始めた
このように高揚することは私たちに危険だった
君自身　さらにそうだった
私はまるで病にかかったかのように
自身にある種の狂いを感じていた
高揚感が私を狂わせていた
君に近づきたかった
一寸たりとも離れたくなかった
私たちにとって
君にとって
これは容易いことだった

私たちはあなた方ができることができた
あなた方ができないこともできた
しかしそれには犠牲が伴っていた
私は再度厳しい罰を受けることになるのだった
君も今まで経験したことがない苦しみを味わなければならなかった
私はどうすれば良い
どうすれば良い
一体どうすればいい

私たちの優勢はまさに私たちの弱みだった
私の優勢もまた私の弱みだった
忘れられた木の洞で
泥から造られたエンジャン壁の寂びれた割れ目で

古くなった門の隙間で
瓦の暗い間で
長々と座り
高揚感と切なさの中で
迷っていた
迷っていた
さらに迷っていた
諦めるために
最も香り高い花を嗅いでみた
魅惑的な夕焼けの下で立ってみた
澄んでいる清水の泡の中で泳いでみた
魅力的な調べに合わせて口笛を吹いてみた
君に果てしなく恋していることを
絶対的に恋していることを
無条件に恋していることを

自身に繰り返し言い聞かせてみた
それでも
その高揚感に
唆かされていることに
力に
決して勝てなかった

八

いつものように繰り返されるとある月曜日
全てを雪が覆った月明かりの夜
君はまたもや庭の厠に来た
雪の上で鳴る足音を聞いて
君と知られた
君は厠に入り
機敏に

そして美しく腰をおろした
どいて　どいて　どいて……（と　言った）
私は見ていられなくなり
我慢できなくなり
待ちきれなくなった
先が見えない運命に挑み
なるようにしかならないと
君に降りかかる苦しみも抛（ほ）っておき
時機を選んで
君の中に入った
瞬く間に
三百六十六本の血管と
四百四十四個の骨片に
広がった
その瞬間に

まさにその瞬間に
君と完全に一体となった
君の命と私の命が一つになった
これが私の想いだった
私の望みだった
これで私の願いが叶った
その瞬間
正にその瞬間
君の体に温みが広がった
君は微笑んだ
君に今まで決しておきなかった
決しておきなかった
決しておきなかった
ある状態が生じた
私が君の最も繊細なところ辿りついた時に

君は不思議な悦びの中で溜め息をついた
少しばかり開いた口元から入った冷たい風が
君の体を震わせた
しかし君はすぐに
放心状態から戻り
まっしぐらに家に向かった
私たちは

これで私は君の性格を思い通りにできた
意思を操ることができた
智恵を惑わせることができた
感性を混乱させることもできた
これで君の部屋にあるあの忌々しい大きな鏡も何の意味も
　成さない

君と出逢ってから
私は君を楽しく過ごさせたいと思っていた
君が思いっきり笑ってくれたらと願っていた
これで私は君に喜びを与えることができた
君を幸せにどっぷり浸らせることもできた
君を笑わせ始めた
君は
思いっきり心から
笑っていた
笑っていた
笑っていた
疲れ果てた時にだけ笑いが止まった
疲れ切って眠った時にだけ笑いが止まった
笑っていた

笑っていた
笑っていた
しかし
君のその笑いが私の笑いだった
幾千年も私が笑えなかった笑いだった
山の香りが溶け込んだ
川の味が染み込んだ
沙漠の色が入り込んだ
時間の炎で焼けた
土地の水で流された
孤独の中に囚われた
哀しみの下で抑えられた
質と形が変わってしまった
古びた笑いだった
この笑い声は君のそれとは違っていた

この笑いの姿が君のそれとは違っていた
リズムが君のそれとは違っていた
それで君の両親と親戚が
君が笑っているのを認めなかった
驚いてしまった
君が笑っているのを止めさせようとした
君を説得して見た
批判して見た
罵って見た
しかしどうしょうもなかった
それでことの重大さに気づき
危機感に見舞われた

君のこと瞬く間に地域に広がった

近隣の者が
君が竜巻の中にとり残されたと言い
君が気が触れたと言い
軽蔑と哀れみの目で君を見つめた
信じられないと言いながら襟を噛んだ
突然起きたこの不幸が
この災いが
君の両親を困惑させた
弟たちを狼狽させた
親族を悩ませた
私は君の美しい中にいた
まるで一生かけても盗みとりたいと願ったものを
ついに手に入れた恥知らずの盗人のように
喜びと不安に酔っていた
安楽と喜びの中で忙しく感じていた

しかし自分に似てなく
無心で気難しい
残酷で自分勝手で
優しさのない野次馬に
変わっていた

九

このようになるのだった
このようになるのがはっきりしていた
この日がいずれか来るはずだった
私が無惨にも殺された時に
(今の自分に変わってしまった時に)
このようになることが私の額に書かれていた
私は君にくっついて
我を忘れて過ごしていたあの日々

現実は
秘めた悲しみの中で
この日が来るのを待つための過程だった
私には他に術がなかった
それが私の定めだった

水曜日の夜
私たちは隣村の盲目の霊媒師の家に連れて行かれた
この霊媒師は私たちの宿敵だった
彼らの一味だった
私たちに災いをもたらす者だった
彼らに幸をもたらす者だった
私たちと彼らとあなた方の間では
このような強者の霊媒師は稀だった

十二歳の時に彼女を
彼らからブカ可汗が
毎晩ジャングルに連れて行き
三年三ヶ月三日三晩と彼女をしっかりと仕込んだ
彼女の家に入った時に
恐ろしい雰囲気と悲しい示唆に
どれだけ怖がったことかを
気づかれないように静かになったことかを
自分のみが知っている
このような恐怖を経験したことがない人には
想像もできない
この恐怖をいかなる言葉でも表すことができない
いかなる形でも表現することができない
彼女は私たちを見て
震えながら

自信満々に
一人が憑依した
一人の男が憑依した
ものすごくしっかりと憑依した
すごく頑固で
すごく悪質で
遥か古からの者であった
と判断した時に
君を土間の絨毯に寝かせた時に
暗い部屋の四つの壁に
四十本の明かりを灯けた時に
アドラスマンと羊の脂でお香を焚いた時に
君のそばにミルクと鏡をおいた時に
「アザイム」と言う祈禱を唱え彼らを呼んだ時に
刀を手にして君に向かって私を怖がらせた時に

棗の木の枝で君の体を叩いて
移れ　移れ　移れ　古びた壁の傍に去れ
移れ　移れ　移れ　一本の木の傍に去れ
移れ　移れ　移れ　未亡人の傍に去れ
移れ　移れ　移れ　古い製粉屋の傍に去れ
素早く移れ
移らなければ尻に藁の敷物を入れて火をつける
と言いながら私を君から離すべく
脅しにかけた時に

笑いくたびれ果てた君には
周りや自身に構う力が残ってなかった
私と言えば君にしっかりはまって

命の限り無駄に終わる抵抗をしていた
続いて彼女は英霊の御名において水に誓って宣言した時に
屋根から縄を吊して
白　青　黒　赤の布で幣を立てた時に
君をその縄に吊して
ダップを打って祈禱して私を遊ばせようとした時に
君を鞭打ち縄を回すように促した時に
君は
回って
回って
回って
気を失った
まさにその時に
彼らがやって来た
やって来た

やって来た
手に鋭い刀を
身体中の力
背後に赤い風
それだけの威力と威厳を持ってやってきた
天空を震わせ
大地を揺るがせ
そのように今やって来た
それでいかなる望みも残ってなかった
私は君の身体から出ていくことを強いられた
どうしようもないことがなんであるかが
幾度も幾度も私に現れたのだった
これで今一度経験することになった
敗北に繰り返し繰り返し直面していた
負けることに繰り返し繰り返し慣らされていた

追われることに懲りないと思っていた
しかしそうではなかった
そうではなかった
今一度屈辱と苦しみに出逢うことになった
それで
君の滑らかな体から
温もった命から
出ることになった
惜しくて
惜しくて
惜しくて
君から
ゆっくり
ゆっくり
ゆっくりと

は　な　れ　た
私が君の中から出て行ったその声を
君から離れて行ったあの切ない音を
あなた方が今まで聞いたことがないあの菫色の音を
君には聞けなかった　聞こえないはずだった

十

私は君から出て行った
君から出て行った
出て行った
行った
冬の夜の重々しい懐で
冷たい暗闇の最も深奥で
私は独りの敗残者
苦労する哀れなる者

どうしょうもなく追われ人
君から遠くへ行かされている
私と君が生まれ育ったこの故郷と　その
土　水　石
鳥　樹木　石
太陽　月　星
色　香　音
魂　人　動物
しかし
君と関わりがある全てが
私からゆっくりと遠ざかっていく
私が持っているのは強い思い出と
このようなか弱い自信だった
君の内なるものがきっと私を探すことだろう
節々と血脈が

身体と骨が

きっと私を恋しがる
君の魂はきっと私を呼ぶ
君は自身に永遠に欠落を感じる
君が将来恋人と口づけした時に
悲しくて涙を流した時に
夫と一緒に眠った時に
道を歩いて転んだ時に
悪夢に促されて目覚めた時に
子どもを産んだ時に
疲れ果てた時に
深い孤独の中にいた時に
夜に自転車に乗っていた時に
思い切り笑った時に
病に伏した時に

そして　最後に
君が生を全うしていまわの際に陥った時に
それを微かに感じ取れても知ることはできない

何と言おうと　こうなるしかない
私には明らかだった
このようになることが
山の香りはあくまで山に残り
川の味はあくまで川に戻り
沙漠の色はあくまで沙漠に行く
私はこれで自分に帰る
危険で見知らぬ場所に行く
この悲しみと後悔の里から遠ざかる
君から永遠に離れる

私は既に死んでいるし　これからは死なない
しかしもう一度完全に死にたくなった
この世からきっぱりと消えたくなった
多分その時にこの目標がない旅路を終わらせ
この耐え難い惨めさを終わらせ
この結果のない恋を持ち去り
君という初心を永久に忘れることができる

さらば
ああ　私の懐よ
君は私を一本の細い糸と知るが良い
一束の朦朧の光と知るが良い
一瞬の子音と知るが良い
相手がいない片思いの者と知るが良い

一番弱い霊として知るが良い
孤独のジンと知るが良い
ああ　私の懐よ
私は去った
このように
このように
これからは来ない
これからは来ない
これからは来ない

二〇一五年十二月三十一日　ウルムチ

思い出のホタン

その場所には
有害なものが一つある
亜麻仁油
地政学地図
濁った水
屠殺場
バザール
空気
ケパブ
顔だけに効果がある

光を吸収する小麦色の肌が丸まっている
音の速さで
様々な罪や徳に耐えるために

訳が分からない地名は人々の白くなった舌先で
熟れた果汁が埃塗れになった木の上で

それでも
頭に長いトマックを被ったカラスが
首を鋼の鎖で繋がれた恋する者に聞いた
利害と恋の距離はどのくらい

二〇一六年十月　ウルムチ

春から夏まで

霧が動いた
遠くからそう見えた
人々が陽光を待って集まったかのようだった

四十日間
花粉で彼らはアレルギーを生じた
ある者は鼻が痛み
ある者は咳が酷くなった
ある者は涙目になった
風の季節がやって来て

霧をこん棒で追い払うほど

正にその時
「私の鳶は飛び去った」という歌が
理由もなく彼の頭に入り込んだ
つまり　これから暖かくなる
親戚や近しい者から別れてしまった者は寂しくなる
霧が消え入る
皆　家に入ってしまう

二〇一六年十一月　ウルムチ

オペラの序曲

いつもの如く　野性のヤクが山から降りて来た時に
谷合の人里で
「ヤクが降りて来たよ」と叫ぶ声が聞こえる
人々は直ちに家に入り
ドアを閉める

彼らには野性のヤクの
足音が嵐のようにシャシャシャとするのが
荒い息が毒蛇のようにシュウワシュウワという声が

毛が空を切る刀のようにスパッという音を出すのが聞こえてくる
しかし　誰も窓から　あるいは隙間から外を覗くことができない

それでも誰もがこのように想像をする
血走った目の凶暴な野性のヤクが
せせら笑いながら我が家に押しかけたら
私は素早くその角を捕まえて
外に押し出したら

よそ者の
物事を多く経験した人でさえこれを信じない

彼は山の上を見つめて
手を広げて
このような歌を歌う
「あれほどの大きな山に収まらなかったあの野性のやくが
サタンも入れないこの小さなドアからどのように入るのか
貴方たちの想像に呆れる
貴方たちのドアに呆れる」
(これで幕が上がる)

二〇一六年三月　ウルムチ

土人間

初春の土から創られた人間
（男でも女でもない）
世の中の色を独り喰らい尽くした
彼は手の甲で口を拭いながら
アッラーの名を唱えながらことを始めるのだった

彼はいつも同じことをした
時には陶器になった右手で
砕け散りはじめた左手を
肉と骨から創られた人間の太ももを

河岸で眠って入る力のあるな天使の尻尾を
思想が空気に残した消えないシミを
触っていた

しかし彼はせっかちではなかった
（このところは私たちとは違っていた）
疲れた時には
片足を流れる水面におき
私たちの逆に辿られた家系を元の通りに読みながら
笑い転げていた
毎年寝る前には
体に命を維持する芝生を植えていた
（彼は本当に狡い人だった）
彼は独りだった
彼の目は輝かしい太陽の周りの

最も暗いところも見ることができた
彼はいつも同じことをした　止まらずに触っていた
彼は一つの行動を繰り返しすることによって
誰にも言えない目的に達するつもりでいた
(このところは私たちに完全に似ていた)

二〇一六年三月　ウルムチ

沈黙

人々が全く気づかないあの背中のない人間
誰にも告げることなくカシュガルの家に去って行った
しかし　彼の体温は地面から二十センチの所で固まっていた
彼は　自らに言い聞かせるのだった
私の定まらない食べる分
私が生きる猫の額ほどの土地
味わう苦しみ
暖をとる小さな太陽
過ぎ行く味気ない日々
感じ取る少しばかりの幸

いつの日か死ぬ頑固な命
自らの手で創った　創る
私の子たちが横たわる美しい子宮
私に背を向けて全身全霊でエエラフの桃を食べる
西日が射す窓の細く鋭い光が
凍えた足に突き刺さる
こんなの多くの人々は
呟きながら会話を諳んじている内に
こんなの多くの木々が
枝を伸ばして分身している最中に
私は誰のことも案じない
目を不安げに瞑りながら
話そうと目論む不吉な口を
自ら外らす乾いた目を
戸惑う乱れた歩みを

沈黙に浸った　あるはずのない背中を見つめる

二〇一五年十月　カシュガル

女の牢獄

目の色は淀んでいた
この色は道行く誰かの服を染めていた
道端の白土のせせらぎに
神の冷たい水が流れていた
穴のあいた枯葉が水面で回っていた
素朴な大きな邸宅が私たちの前を通り過ぎた
邸宅の赤い門灯がサタンのような光を放っていた
これは女の牢屋と言い　指し示したのは
隣にいるカスムジャンだった
私を女で満杯の牢屋に入れてもいやとは言わない

と卑しげに笑った　彼の友のロザフンが
大地の体はバラバラだった
道はそれらを互いに繋げていた
山の方から
冷気が親戚を連れて来た
私を突然震えが襲った

二〇一五年十一月　カシュガル

去る

私は彼に　何もしやしない
静かに生きて死んでいくだけと言った
彼は私の言葉ではなく彼自身を信じた

蚊の舌を啄ばんだ
燕の尾に噛みついた
蛇の足をちょん切ってしまった

木の角を折って
花の爪を抜き

芝生の毒針を奪った

夕焼けの心臓を引っこ抜いた
山の命を自分のものとした
人々の清らかさを奪った

天地をひっくり返してしまったことに
彼は驚き　尋ねた
君はこれだけのことをどのようにしてやり遂げたのか

それで私は帰ると言ったがすぐには去れなかった
そして　人生を他の人生に交換したら
一生が台無しになることが分かった

私が去って行く時にも　彼は去っていなかった

二〇一六年四月　ウルムチ

夜の歌

私は私たちの中で一番の間抜け
闇の由来など気にも留めない
気温が上がった時に
金魚が閉じ込められた氷の塊を思い出す

私たちを動かすスープが
私も動かし続ける
家で手塩をかけて育てた飛べる子羊を
悦に入りながら締めている時に
幼い娘たちが頭の上を浮遊し見つめている

焦げた山の麓に
容易く咲くメロンの黄色の花が
夜の歌声が止んだ時には独りになってしまう
口から火を吹く白い雀が
黄色いなつめの上で物思いに更けながら仰向けに横たわる

私たちにはこのような決まりがある
誰かの寿命が長ければ
私たちが夜に歌う歌を
その人が始めてくれる

二〇一六年五月　ウルムチ

道標

自ら逆さまになる　落下して　止まる
門番たる苦労多き者の沙時計
昼と夜はかくの如く入れ替わる
自ら沸く　溢れる　止む
戦に行った憐れなる者の鉄のやかん
神と人間は正にこのような調和をとる

私は君を　あるいは愛している　あるいは愛している
憐れなるものと共に座してお茶を飲む時に

苦労多き者と共に砂つぶを数える時に
いつも君を両面ドアと思う
そしてそこから出て我が道を行く
また何か秘密が残ったのか
ただ一つ
君は私を　あるいは愛している　あるいは愛していない
しかし私たちは　真っ直ぐ進むと言う道標を見た時には
必ず真っ直ぐに進む

二〇一六年三月　ウルムチ

影

狭い　デコボコのある　一時的な小さい通り
音楽隊は素早く屋根に登り始めた
彼らは自らの手で通りを　またもう少し曲げたかった
空が果てしなく晴れ渡った

影は二階建ての家から一人ずつ現れた
脇役の俳優のように
これで彼らは土煉瓦の壁に守り事を書く
家の容積と生きている人々の間の

音楽はまだ始まっていない
回転する鳩の脚首に吊された
小さい瓢箪からまだ音がしない
翼を備えたものの名で　影は笑っている
音楽家たちは長い首をさらに伸ばして屋根から下を見た
少し後には幽霊の合唱が響き渡ることになる
まるですべての影が子どもを産めなくなったように
そして一人が一人の孤児を我が子にしたように
彼らは通りをこれで曲げなければならなかった
周りはこれだけで満杯　そして広々としているから

影の完璧さはとても長い道のり
まるで「種の起源」の説の歴史のように
彼らは私を包囲する　そして恐ろしい音楽の渦巻きの中に
　放り込んでしまう

そして死に至らしめるすべてタブーを額に書き込む

二〇一六年五月　ウルムチ

また一日が始まる

色のない暁の真ん中に
並木道の上を通る道沿いに
群をなした女らが木の枝を踏みながら畑に向かっていた
澄んだ光が女らの体に染み込み
下の方から赤みを帯びて滴っていた

女らの目に霧がかかっていた
顔は石のように固くなっていた
疲れ果て　苛立ち　迷っていた
注意深く　歩みを進めていた

枝から枝へ　木から木へと

主人は市場に肉食の鶏を買いに行っていた
血が止まるまで帰ることはない
卵から孵ったばかりの子供たちは
足の指をしゃぶりながら家に居た

そして　女らはすべてに先んじて行ってしまった

青々とした葉っぱの間で
女らの赤いワンピースがはためいていた

二〇一六年四月　トルファン

分かちあい

好みの三十人を理解するために
先ずは昼に深く入り込むべき

真昼の時まで歩いて行き
彼らが炎熱で溶けていないこと
そして七つの器官が健康であるのかを見ること
彼らの脳に在る拳ほどの灰色の石を
そして脚が七本ある白い虫を想像すること
子供らにどのような名前がつけられているのかを調べること
彼らが危険であるのかないかを

そして前が塞がれているのかどうかを監視すること
そして木陰に座して
一人ずつ分析をして判断を下すべき

夕方になったら　目を瞑って三回深い呼吸をすること
そして頭の中の最も恐ろしい考えを取り出し犬にやるべき

暫く経ってから
子供たち同士を結婚させて義理の親戚になるべき

二〇一六年十月　ウルムチ

［編訳者あとがき］

虹色の橋

あれからどれほどの年月を経たことになるのだろう。ウイグルを訪れた折、トルファンのとあるぶどう園で結婚式に参列していた現地の人の女の赤ちゃんを抱っこさせてもらったことが今でも鮮明な記憶として残っている。見知らぬ日本からの旅人に一瞬にもせよ大事な赤ん坊を託すという親愛の情、そしてそのぶどう園のあるオアシスの地を一歩出れば、厳しい自然が広がる。

緑の葉の茂るぶどう園の外には、日中は過酷な太陽が照りつけ、夜にもなると月や星が想像もできないほどの輝きであろう土地、そこに人々がいる限り生活があり、歌があり、詩があり、生と死があることになる。

今回訳した詩の作者タヒル・ハムット氏はウイグルを代表する若手の詩人で新疆芸術大学の教授をしていたが、アメリカに来た当初は生計を立てるため一年ほどタクシードライバーとして働かなければならなかったという心痛む話を聞いている。（今は「ラジオ・フリーアジア」に職を得たという。）止むを得ず祖国を離れ異文化の中で捲土重来を期し、一労働者として生きていく姿への共感は私を突き動かさずにはおかない。

私事になるが、現在、精神科医として患者さんを診る日々を過ごしている一方でウイグル文学を日本に紹介する事に没頭している。文学は国や言語、人種を超えて人類共通の財産である。このままでいくと消滅してしまうかもしれない文学を残すために遅すぎることはないと信じて、今後も努力を続けていきたい。

考えてみれば、それは病んだ人々の助けになることと、その存在自体を否定されようとしている文学を救うことに共通の普遍的価値を見出しているからなのかもしれない。

気がついてみるとムカイダイス氏との共同の詩の翻訳作業も本書で四冊目となったが、当初思い描いていたウイグルと日本の間にかかる「虹の橋」は、その輝きを幾分なりと増していないだろうか。

二〇二〇年三月　　　　　　　　　　　　　　　　　　　河合　眞

詩人紹介

Tahir Hamut Izgil（タヒル・ハムット・イズギル）

一九六九年ウイグルの古の都カシュガルに生まれる。ウイグル現代詩を代表する若手のトップ詩人。一九九二年に北京の中央民族大学ウイグル語文学学科を卒業後、北京党校の教師として働く。後にウルムチに戻り新疆芸術学院の準教授となる。「北京党校に勤めた時の国家秘密を外国に流す疑いがある」との容疑で一九九八年〜二〇〇一年まで三年間投獄される。二〇〇九年に「イスギル」番組制作会社を立ち上げ、取締役を務める。

一九八六年に十七歳の時に詩人としてデビュー。ウイグルをはじめ、アメリカ、トルコ、アラブ諸国などで百以上の詩や作品が雑誌などに掲載される。『西欧現代文学概論』などの著書と『間と他』などの詩集がある。ウイグルの詩人としてはじめて、アメリカのペンス副大統領、マイク・ポンペオ国務長官などに会い（二〇一八年七月ワシントン）、ウイグルの文化人の現状を訴えた詩人でもある。

二〇一六年にウイグルの知識人・文人が次から次に「強制収容所」に連れて行かれている現実を受け、娘の重病を治療する為に渡ったアメリカに亡命する。亡命当時はタクシー運転手として生計を立てていたが、二〇一九年からはラジオ・フリーアジアの記者として働いている。

詩はアメリカの有力な雑誌などで紹介されて高い評価を受けている。ウイグル詩人としては初めてアメリカで、代表作「夏は一つの陰謀」の名に因んだ詩の夕べ「Summer is a Conspirasy」（二〇一六年九月二十日）を開催した。また二〇二〇年二月十日イェール大学で「危機の中のウイグルの詩」というテーマで講演をしている。

二〇一九年十月にメキシコの映画監督のNoe Navaによる、彼の人生を描いた「フェアファックスに生きるウイグルの詩人」（https://m.youtube.com/watch?feature=share&v=MsBdkpi9ZBQ）が収録された。このドキュメント映画の中で「ウイグルの豊富な民間文学が小さい時から私に多大な影響を与え、育ててくれたおかげで、私は詩人になった」と述べている。

編訳者プロフィール

ムカイダイス（Muqeddes）

ウルムチ出身のウイグル人。千葉大学非常勤講師。
上海華東師範大学ロシア語学科卒業。神奈川大学歴史民俗資料学研究科博士課程。元放送大学面接授業講師、元東京外国語大学オープンアカデミーウイグル語講師。世界文学会会員。著書に『ああ、ウイグルの大地』『ウイグルの詩人 アフメットジャン・オスマン選詩集』『ウイグル新鋭詩人選詩集』三冊とも河合眞共訳　左右社出版がある。

河合　眞（かわい・まこと）

精神科医。
東京大学教養学部基礎科学科を経て、群馬大学医学部卒。昭和大学藤が丘病院精神科講師を経て、河合メンタルクリニック開業。
高齢者のメンタルケア、音楽療法に関する著書、精神病理に関する独訳書（共訳）
ウイグル詩集（共訳）三冊

聖なる儀式

二〇二〇年五月十二日　初版第一刷

著者　タヒル・ハムット・イズギル
編訳者　ムカイダイス
　　　　河合　眞
発行者　川口敦己
発行所　鉱脈社
　　　　〒八八〇・八五五一　宮崎県宮崎市田代町二六三番
　　　　TEL　〇九八五・二五・一七五八
　　　　FAX　〇九八五・二五・一八〇三
印刷　有限会社鉱脈社
製本　日宝綜合製本株式会社